JN115350

第8期介護保険を手術する

主役は、我が愛しい
地域と自治体

安達智則・「月刊東京」編集委員会
東京自治問題研究所

も く じ

1 20歳になった介護保険、成人したでしょうか

（1）コロナ危機において、介護と高齢福祉では、何を考えなければならないのか？

　世界中が、新型コロナ危機でしびれています。それによる社会の危機は、生活や心の不安を大きくしています。失業増加・雇用危機、病床不足・医療崩壊、大学対面教育不可、そして持病持ちの高齢者は、陽性になると、死と隣あわせになってしまいます。

　非正規雇用者は、容赦なく、首切り。雇い止め6万人（厚労省：2020年9月）、失業率も悪化3％超。JTBは6500人削減、電通6000人削減のように、大手企業も大規模なリストラに着手しているために、失業者の増加が止まりません。働くことができない生活苦を抱える人が増えました。

　その一方で2020年12月29日、東証・日経平均は、30年ぶり高値・2万7568円となり、機関投資家や資産家は、コロナ危機ではなく、コロナ「特需」を享受しています。

◢ 医療現場は、崩落寸前

　次のような報道が、コロナ危機の医療危機に直面している事を示しています。
「東京6700人、行き場決まらず」（日経：2021年1月10日）
「治療の選別、始まった都市部。病床逼迫、受入困難」（朝日：2021年1月12日）
「医療も保健所も、尾崎東京都医師会長が危機感」（朝日：2021年1月13日）

　2回目の緊急事態宣言が発出されても、都市封鎖（ロックダウン）ではなく曖昧なために、夜8時までは飲んで歌ってOK、と受け止める若者世

代がでていても、彼らのせいにするわけにはいかないでしょう。政府や東京都の示している新型コロナ危機への対処方針が、甘いからです。

◢ 新型コロナでお年寄りの生活は、どのように変化したのだろうか

　買物難民は、全国で1000万人（高齢者2世帯に1世帯）とも言われています。農水省は、「食料品アクセス困難人口」と呼びます。その農水省の統計では、「4人に1人（825万人）が、買い物弱者」（日経、2020年12月20日）であり、東京圏はその4割を占めている上に、このコロナ危機で「買物難民（買い物弱者）」は増えています。

　持病持ちで恐怖に陥ってホームステイを余儀なくされているお年寄りの日常の買物は、だれがサポートするのでしょうか。

　すでに介護ケアが必要となって、自治体に手続をして、利用されている高齢者にも影響がでています。「区分変更が増加中」です。「区分変更（現場では"クヘン"と略称）」は、認定が軽くされていた方が、重度化した場合に、認定の変更の手続をすることを言います。

　介護保険制度は、「支援（要支援1と2）」「介護（要介護1から5）」と区分されて、「要支援1」が軽い人、一番重度は「要介護5」となっています。"クヘン"の目的は、軽度から重度の認定変更を獲得して、介護保険で使えるサービスの量を増やすことです。ケアマネジャーやケアをする人が、自治体（保険者）に申請をします。その"クヘン"が、コロナ危機で増大していることは、何を私たちに示唆しているでしょうか。

　地域の通所サービスに陽性者が出て、閉鎖。訪問介護事業所では、ヘルパーに陽性者が出ると感染経路が利用者か、家族か、それとも友人関係か、がはっきりしなければ、利用者に訪問することはできません。サービス提供事業所がコロナ危機に直面している事実は、どこまで政治・行政に届いているでしょうか。マスコミ報道は、高齢施設でクラスターが発生して死亡者がでたことが主です。じわりじわりと在宅ケアの現場にもコロナ危機が襲っていることを直視する必要があります。

　本来であれば、介護ケアサービスを増やす必要があるとケアマネ達は見立てているけれど、通所もダメ、ヘルパーもダメ、となったお年寄りは、

話す相手も少なくなり、体力も低下して、食事もインスタント食品が増えて、加えて不規則です。同居家族がいる場合には、ケアをしている家族にも大きな負担が増加していることは、間違いのないことです。ケアをする人の悩み・苦しみは、減少せずに増えています。

◢ 20歳になった介護保険

　介護保険が2000年に始まって、20年が経過しました。３年に一度、介護を見直して、各保険者（自治体）が、計画を作り直します。2021年は、８回目の改訂になります。「第８期介護保険事業計画」が、本パンフレット執筆段階では、準備から実行段階の途中です。

　コロナ危機に直面している社会とお年寄り、介護事業所も介護を提供する担い手も、ギリギリとした日常を送りながら、新型コロナとの闘いの最中です。そのコロナ危機における「介護ショック」の現状分析を踏まえた『介護保険事業計画』になっているでしょうか。第８回目は、これまでの延長線で介護の必要を考えることはできません。社会とケアの状況が違うのです。最低限、2020年のコロナ禍の介護実態調査を土台にした「第８期介護保険事業計画」でなければ、空理空論、と指弾されても仕方ないことです。私は、小学生でも分かることだ、と問題提起をしています。

　行政の前例踏襲主義では、コロナの社会危機に適合しないのでダメなのです。さらに計画策定を民間コンサルに委託することも、許されることではありません。自治体の担当者は、介護提供現場や自宅待機陽性者のくらしの姿を防護服を着て「住民の生命を守る使命感」で、介護実態を知るための調査に突入すべきです。

◢ この20年間、高齢者にとって、これから高齢者になる人にとって介護は権利になったでしょうか

　介護保障の到達度は、低いままです。自由で安心して暮らしていける高齢期人生は、保障されていません。介護保障の基本権は、自由権・社会権・介護保障権であると『介護の質「2050年問題」への挑戦』（クリエイツかもがわ、2012年）で指摘をしました。詳しくは著書を読んで頂くとして、

コロナ危機下にあっても、忘れてはいけない高齢者福祉の原則を確認しておきたいと思います。寝たきりゼロを達成したとされるデンマークが、世界の高齢者のケアシステムでは、最先端でした。

デンマーク福祉の高齢者3原則（1979年）
　　　　　第1　　人生の継続性の尊重
　　　　　第2　　高齢者の自己決定権の尊重
　　　　　第3　　残存能力の活用

　2012年の介護の質研究において、修正を試みました。第1・継続性、第2・自己決定権は、そのまま継続する高齢者福祉の原則。「第3・残存能力の活用」は、70年代・80年代、寝たきり高齢者のままにして、起きあがることへのサポートもなかった日本では、刺激的で在宅ケアにおいて反省させられる原則でした。
　日本でも在宅ケア技術の水準が上がり、訪問リハ等のケアメニューも増えてきました。「残存能力の活用」の取り組みが本格化したのです。しかし、寝たきりを起こせばそれで十分かと言えば、次の課題も見えてきました。人間の文化芸術への享受、地域の人との交流、それに社会参加です。
　そこで、「残存能力の活用」の原則を見直して、「能力創造・能力形成」と創り出していく能力、年を重ねても能力は発達する人間観にたつことを提起しました。学習意欲あるお年寄りの学びあいや若年性認知症デイのセラピストの取り組み等に、その萌芽を見つけたからです。
　「能力創造・能力整形」を含めた新しい高齢者3原則は、現場実践と理論の研究段階です。

■ 介護改革の新しい社会運動
　2020年11月25日、市民団体と医療団体の7団体が厚労省と国会への共闘運動が取り組まれました。「介護保険制度の抜本改善」と「介護従事者の処遇改善」を求めてのことです。この共闘は、はじめての取り組みになりました。

（共闘運動に参加した7団体）
- ○　認知症の人と家族の会
- ○　医療・介護・福祉の会
- ○　守ろう！介護保険制度・市民の会
- ○　21世紀・老人福祉の向上をめざす施設連絡会
- ○　中央社会保障推進協議会
- ○　全国労働組合総連合　（全労連）
- ○　全日本民主医療機関連合会　（全日本民医連）

　市民団体の「医療・介護・福祉の会」の小島美里（暮らしネット・えん代表）さんは、集会の中で「在宅介護を地域共助といってボランティアに肩代わりさせる国の動きを止めなければ、介護も社会も崩壊する」と発言されました。その通りです。その小島さんには、多忙中、月刊東京の座談会にも出席していただきました。本ブックレットにも掲載してあります。
　このブックレット
　　　　　　「第8期介護保険を手術する
　　　　　　　　主役は、我が愛しい地域と自治体」は、
　　　　　　　　　　一つの理念、二つの焦点で、編纂しました。

　みんなが願う目標としては、＜すべての高齢者に必要な介護保障を＞です。
　コロナ社会危機における介護保険問題の解明としては、＜国の共助強化としての「社会福祉法改正・地域共生社会」問題＞と＜自治体・高齢福祉介護保険問題＞に取り組むこととしました。
　第8期介護保険を手術して、開腹手術式で悪い所を取り除き、健康体になって、自治体も生き返ること。ケアを提供している人も、ケアを受けている人も、地域ケアへの視点を大切にして、政府のいう「自助・共助・公助」（地域包括ケアも怪しい言葉）ではなく、創造的な相互扶助による地域共同体づくりの未来社会を現実のものにしていきたいと願っています。

（2）介護保険スタートから20年経過、現状の点描

◢ 2万人の介護保険滞納者の資産差押え

　衝撃的な報道がありました。１年間で２万人の介護保険料の滞納のために資産差押えされたという内容の記事です（朝日：2020年10月11日、11月30日）。これまでの介護の報道や研究では、指摘されなかった介護の社会問題でした。

　介護保険料が高くなったこと、下げられていく年金、公共料金の負担増、家計のやりくりが苦しい方の増加の反映です。

　が、それにしても介護保険料滞納を理由にして、差押え２万人は、衝撃的でした。

　徴税権力の使い方の優先順位は、所得税＞住民税＞国民保険料（税）＞介護保険料という順序と理解していたためです。実際は、介護保険料の未納も含めて、未納している税・公共料金は一つではないだろうという税務の仕事をした人の意見もありました。それが実態に近いと推測されます。

　今回、その２万人を共通理解にするために、根拠数字がどこにあるのか、探しました。朝日新聞の担当した記者とも連絡がとれ、独自に厚労省に問い合わせをして、調査が掲載された資料が一致しました。

　厚労省の調査は、「介護保険事務調査」と言います。厚労省の様式に基づく調査は、市区町村（広域行政含む）から、都道府県に集約され、厚労省で全国統計の結果をまとめます。全保険者にたいしての調査です。その結果をまとめたものは、2020年は、厚労省老健局介護保険計画課「介護保険最新情報　Ｙol.875」（9月25日）に掲載されました。

　この「介護保険事務調査」の中に滞納処分についてのデータが掲載されていたのです。

　　「10　滞納処分
　　　　実施保険者数　　　　　　642（40.9％）
　　　　差押え決定人数　　　　　19221
　　　　　　（うち、滞納保険料充当人数　13743）」

全国の自治体の４割が、介護保険料の滞納処分を行っていました。介護保険料滞納を根拠として、財産の差押えをしている自治体は、周りのどこかに存在しています。これは、由々しき事態。軽視できない社会問題ではないでしょうか。

◢ 介護保険の実際

「保険あって介護なし」と批判されている介護保険制度は、医療保険と違って、介護保険証があれば、誰でもいつでも使える仕組みではないからです。入り口に認定調査をうけて、介護保険が使えるかどうか「テスト」されます。介護保険始まった時、学校の成績優秀だった方は、要介護＜１、２＞と結果がでると、「５以外はとったことがない。５にして」という小咄もありました。

介護保険制度は、スタートからゲート(門番)を設置していたので、「保険あって介護なし(受けにくい)」「広がらない介護利用者」という実態があります。

2000年、65歳上の利用者は、11％(256万人)でした。2018年は、18.3％(658万人)に留まっています。65歳以上(第1号保険者)は、3525万人(「介護保険事業状況調査」2018年)。

80％のお年寄りは、介護保険のサービスを使っていません。

大げさに表現すると、これは「ペテン(公的詐欺)」です。介護保険ができる頃、推進側の見通しとして、厚労省を応援する研究者は、やがて60％から80％の利用者になり、日本の介護の世界は一変すると豪語していたのです。

低利用者の対策として、苦肉の策は、認定調査ではなく、入り口を低くして簡易な「点検表(チェックリスト)」で、該当項目が多い人には、介護保険の「介護予防・日常生活支援総合事業」を使えるようにしようと、2015年介護保険法改正から取り組みが本格化しました。

いわゆる「総合事業」が、始まりました。

掃除や話し相手の訪問事業、体操やゲームの通所事業、介護職でなくてもケアサービスができるという軽い軽いサービス提供の「総合事業」です。

ですから、その運営主体も、町会・自治会、NPO、ボランティアサークルまで、法人格がなくてもできる制度設計にしました。

　A型とB型に分けて、A型は従来の介護事業をおこなってきた事業者、B型は地域住民組織でもよいという区分を設けました。厚労省は、B型が増えれば、元気高齢者が少し元気でない高齢者を癒し、励まし、生活支援となるのではないか、と共助の助け合いの期待もあったでしょう。

◢ 「総合事業」の実像に迫る

　では「総合事業」は、地域の中へ広がっているでしょうか。

　厚労省の「総合事業」統計は、新しい担当組織が取り扱っています。2020年8月6日付けで、認知症の対応と地域支援事業の一体化を狙いとして、「認知症施策・地域介護推進課」という名称の行政組織ができました。従来の「振興課」の再編です。厚労省老健局内に聞き慣れない組織ができました。

　「認知症施策・地域介護推進課」から、総合事業の実態の統計を教えて頂きました。

　「介護保険給付費等実態統計」（e-Statで検索可）と「NTTデータ経営研究所」（介護予防・日常生活支援総合事業実施状況調査研究・略称）の2つを重ねて「総合事業」の全体像を掴むことになるそうです。詳細は割愛します。

　2020年9月、全国で総合事業を利用した方は、90万人。65歳上の2.5%です。18.3%の従来の利用者と合計しても、20.9%に留まります。

　65歳以上80%は、依然として介護保険サービスの未利用者となります。

　総合事業を実施している市区町村は、訪問型(B・住民主体)・15.5%、通所型(B・住民主体)・14.1%となっています。住民主体による共助型の総合事業は、20%に到達していません。やがて介護を必要とする高齢者が、同じ境遇といえる高齢者のケアをするという"共助型地域包括ケア"は、未成立です。

　結論からすれば、「総合事業」は、少ない利用者のままで住民主体による事業所は伸びていないと言えます。厚労省の狙いである「保険あってサー

ビスなし」を取り除くための「総合事業」は、船に譬えると座礁している状態です。

◢ マイナス改訂が続いた介護報酬改定

　お年寄りの生きがいをサポートしようと意欲を持って、介護事業を始めた起業者精神に満ちた人も少なくありません。最初と大きく期待はずれになったことは、介護報酬の改訂でした。診療報酬の場合は、医師会や医療関係者の政治力もあるために、財務省や財界側が医療費削減の圧力をかけても、診療報酬がマイナスになることは、ほとんどありません。

　介護報酬の場合は、小規模事業所に対して倒産してもいい、と言わんばかりの経過でした。

　　　第1期　2000年　スタート
　　　第2期　2003年　△2.3％
　　　第3期　2006年　△2.4％
　　　第4期　2009年　＋3.0％　（民主党政権において、実質プラス改訂）
　　　第5期　2012年　＋1.2％　（実質△1.8％とされる）
　　　第6期　2015年　△2.27％
　　　第7期　2018年　＋0.54％
　　　第8期　2021年　＋0.7％　（ただし、コロナ対策として、4月から
　　　　　　　　　　　　　　　　　9月まで＋0.05％）
　　（小計　　　△　1.53％）

（注）厚労省の「介護報酬改定の改定率」は、「2021年1月18日　社会保障審議会・介護給付費分科会『資料1　令和3年度介護報酬改定の主な事項について』（54p）に表示されている。
　　　それによると、＜2014年＋0.63％（消費税対応）、2017年＋1.14％（処遇改善）、2019年＋2.13％＞が、上記以外に改訂事項として掲載されている。これは、介護保険事業計画とは直接かかわる改定ではないので、ここでは除いてある。

2021年の最新の改訂を入れて、20年間を合計すると、マイナス1.53%になります。これが、小規模事業所を直撃しているわけです。訪問から通所、さらにグループホームと事業を拡大しようとしても、報酬の伸びに期待できないとすれば、介護起業者精神は萎縮してしまったのです。事業に赤字を出す訳にはいかない経営者は、働いている介護労働者にしわ寄せをしました。結果、介護労働者の賃金は伸びずに、全産業平均よりマイナス8万円低いと言われています。

救いは、民主党政権の時、3%プラスにできたことです。政治的要素が、介護報酬改定にはあるということも知っておく必要があります。政治が変われば、介護報酬改定もプラスになりえることを事実が示しています。

◢ 東京の「介護保険給付費」と「保険料」の推移

全国の介護保険給付費の推移と平均基準の介護保険料については、新聞や関係情報が流れています。ここでは、東京都を取り上げます。

図表 「介護給付費の伸びと保険料の推移」（東京都）

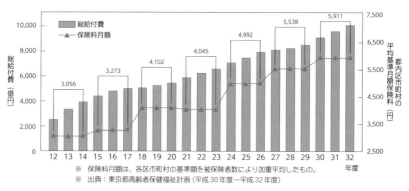

※ 保険料月額は、各区市町村の基準額を被保険者数により加重平均したもの。
※ 出典：東京都高齢者保健福祉計画（平成 30 年度～平成 32 年度）

介護保険料は、第1期・3056円から、第7期・5911円と、約2倍になっています。注意をしたいのは、第3期から第4期の変化です。第3期（2006～2008）は、4102円です。が、第4期（2009～2011）は、4045円と下がっています。

この時、東京の区市では、介護保険制度の問題点を抜き出して、介護保

険財政分析を行い、地域で要望をまとめ、自治体に働きかけて「介護保険料を下げることができる」という介護改革運動が、熱を帯びていたのです。第1期から第2期までの介護保険の貯金の存在も明らかにしました。議会内でも、厳しく介護保険と財政の担当者を追い込んで、区長・市長も介護保険特別会計に「貯金（基金）」が生まれることがあり得る認識になりました。

　＜分析―政策―運動、そして成果＞という好循環があったのです。残念ながら、その後は＜分析―政策―運動＞の好循環は、停滞気味になっています。

　介護給付費は、伸び続けました。2000億円から9000億円段階へと4.5倍の伸びでした。全国に占める介護給付費は、都道府県別の保険給付支払額から、算出することができます。2018（平成30）年度「介護保険事業状況報告」によると、全国の支払総額は、9兆6272億円です。

1都3県の介護保険給付費（億円・全国の構成比％）

東京都	8668億（9％）
神奈川県	5870億（6.1％）
埼玉県	4252億（4.4％）
千葉県	3869億（4％）

　東京都や神奈川県の介護保険給付費の占める比率は、高齢者の健康状態等の要因分析を行ってから、全国と比較して多いのか少ないのか、今後の研究課題としておきます。

(3) 2020年6月「社会福祉法一部改正」の「地域共生社会」は、徹底した共助社会づくりを目指す

◢ 2020年6月は空白の時間―「社会福祉法一部改正」問題

　コロナ問題で2020年6月は、右往左往していました。都政をめぐって2020年7月投票にむけて、都知事選挙の真っ最中でした。この時の国会で審議された法案の一つが「社会福祉法一部改正」です。

介護に係る仕事をしている自治体の所管課、介護事業者、自治体議員、さらには社会保障分野の運動、それに研究者も「社会福祉法一部改正」の事実は見ていても、その中味を精査することまでは、できなかったのではないでしょうか。

　また、政権は社会保障の改悪を進めているのであろう、という受け止め方は、私の周りだけのことではありませんでした。しかし軽視することができない問題がある、と8月頃から、本格的な分析調査に取り組みました。

　すると“我が事　丸ごと”と形容されてきた「地域共生社会」は一段と高い影響力を与えていくこと、人々の困り事は一つではなく複数重なっているとして「重層的支援体制整備」が打ち出されていること、「地域共生社会」と「重層的支援体制整備」が重なり、それが介護保険にも直撃することが、分かってきました。

◢ 2020年7月17日、政府の大方針「骨太方針2020」に 「地域共生社会」強調

　厚労省は、7月30日に全国担当者会議を開催。対面ではなく、資料に基づくものでした。そこでは、地域共生社会の実現を目指した法改正や全国の事例などについて、膨大な資料を用意して行われました。相前後するかのように、自治体の介護保険担当者には、厚労省の重点項目が示されました。それまでは、6つの項目だったものが、感染症と防災対策が加わって、7つの項目になりました。

　6月―社会福祉法一部改正、7月―骨太方針と厚労省の新路線が、8月から9月にかけて、自治体の関係する部署で、「何事か」とざわつき始めました。

　安倍政権が終わり、9月16日に菅総理大臣の政府となりました。安倍政権も菅政権も、コロナ出口を明示できないなかで、菅政権はデジタル・グリーン戦略を成長戦略として、政権浮揚の目玉政策になりました。

　自治体の政治や行政にも地域共生社会の新路線の影響が、でてきます。具体的には、介護保険計画担当、障害福祉、地域福祉計画担当、さらに次期介護保険料を決めていくために財政担当者等々です。

　９月になると、次年度の国の予算重点が、自治体に情報提供。その中では、骨太方針に加えて、公明党（政権与党）重点政策として「公明党厚生労働部会（2020年９月10日）令和３年度予算・重点政策提言」の「地域共生社会の実現・包括的支援体制の整備」促進が、謳われる進行になっていきます。

　こうして社会福祉法一部改正は、「地域共生社会」を取り入れた福祉分野の令和３年予算として、明確化されました。

　早い自治体では、「高齢者福祉・第8期介護保険事業計画」のパブコメもはじまっていきます。

☑ 10月から11月、ただごとではない、と危機感が日を追う毎に高くなる

　社会福祉法一部改正の狙いを明らかにすることに加えて、2021年４月に控えた「第8期介護保険事業計画」の分析を本格化させました。

　大問題が見逃されていたのではないか？　遅くてもこれから世論をつくるしかない。

　せっぱ詰まった危機感で「社会福祉法一部改正」を解読したのです。

「心得・６箇条」にて自治体を揺さぶる　「社会福祉法一部改正」を読み解く

第１の心得　社会福祉法一部改正ではあるが、将来の社会福祉の在り方に大きな影響を与えると心得よ。

　思想としては、新自由主義行政である。菅政権になぞらえると「自助・共助・公助」の「共助」を徹底することが、改正の思想の底流にある。キーワードは、すでに登場している「地域共生社会」と新しい「重層的支援体制」である。

第２の心得　国の負担を増額することなく、徹底した「助け合い」計画への変質へ誘いと心得よ。

当面、直面する2021年から2024年の「高齢福祉・第8期介護保険計画」に対して、国は「地域共生社会」を最大限高い位置づけにするよう自治体に求めている。

第3の心得　高齢者の姿を調査して社会福祉改正へ、異議をあげるべきことと心得よ。

　自治体は、国に従順になるか、個性を活かした自治を発揮できるか、問われている。自治体は、コロナショックに見舞われている「高齢者の希望・要望」「介護提供の現場」の調査をすることが、緊急に求められている。地域共生社会ではなかろう。高齢者の生活実態を見よ。話し相手のない寂しい一人くらしがこのコロナショックでどれだけ、増えたか。デイサービスが、どれだけ縮小したか。

第4の心得　人々が抱えている生活困難は、相談だけで解決できるのか疑うことも心得である。

　人々が抱えている生活困難は、一つではない。寝たきり高齢者、障害のある高齢者を抱えた家庭は、嫁の介護、高校生の介護など、家庭内でも困難が解決しているわけではない。「介護(地域支援事業)」、「障害(地域生活支援事業)」、「子ども(利用者支援事業)」、生活困窮(生活保護・自立相談支援事業)をまとめて相談を一体化することが、提案されている。相談？には、行政措置権が付与されていない。窓口の集約化に留まると心得よ。

第5の心得　自治体福祉財政政策の「質転換」であると心得よ。
　　　　　　　　「重層的支援体制整備事業」について、過度な期待はできないと心得よ。

○　【重層的支援体制整備事業】に取り組むかどうか、自治体に選択の自由はある。法改正は「できる」規定(106条の4)であるが、国のプレッシャーは、年々、強くなることを心得なければならない。

○ あくどい狙いは、これまでなかった「介護保険特別会計」から、「一般会計」への繰出金のルートを設定したことである。

これまでは国の低い基準を底上げするために、一般会計が介護保険特別会計を補填してきたので、財政ルートは、＜一般会計→特別会計＞だった。

全国で取り組まれた国保料（税）の値下げ運動の財政のルートは、＜一般会計→国保特別会計＞。国民健康保険料（税）の値下げのために努力してきた自治体は、一般会計から国保特別会計へと資金援助（繰出金）をして、できる範囲で保険料の値下げを取り組んできた。

それに対して厚労省は、繰り返し、一般会計の国保特別会計への資金援助（繰出金）のことを法定外（本当は法律上合法だが）として、一般会計から特別会計へ資金が動くことを阻止することに血道をあげていた。

今回の社会福祉法一部改正とそれに基づく第8期介護計画の基本指針では、＜介護保険特別会計→一般会計＞の資金の流れができることとなった。これは、介護保険財政の「質的転換」である。

福祉事業の財源の一部に、税金以外の住民負担である介護保険料が使われるルート開発と心得よ。介護保険スタート以来の大変身は、したたかな「悪知恵」と心得よ。

第6の心得 「社会福祉連携推進法人」という新法人形態は、小規模事業所つぶし、公共性の民間丸投げと心得よ。

「社会福祉連携推進法人」は、事実上、社会福祉事業の統廃合政策。大規模事業所と社会福祉協議会への合併と吸収促進になるであろう。人材確保が苦しいNPO事業所、介護事業所、障害事業所、子育て事業を統合することは、重層的支援として促進されるのではないか。大きくなればなんとかなるだろう、ですむ話ではない。

専門的ケアは、専門家と経験者を抱えた法人がよいと心得よ。高齢者のケアと障がい者のケアは、違う。常識である。

【図表】新たな事業の財政支援　介護保険特別会計から一般会計へ「新ルート」

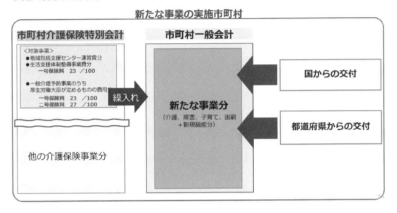

新たな事業の財政支援について

○国が定める方法で、新たな事業に要する費用を各制度間で機械的に按分し、各制度のルールを適用し交付。
○交付されたのちの市町村における分野間の配分は問わない。
○高齢者と生活困窮者支援の費用相当への財政支援については義務的経費を維持（困窮者支援は負担金）。
○高齢者支援の費用相当には介護保険料も活用対象。事業の介護保険料部分については、市町村の介護保険特別会計から一般会計に繰り入れる。（社会福祉法第106条の10）
○なお、対象事業の国費分等については、市町村の介護保険特別会計を経ずに直接一般会計に入る。

新たな事業の実施市町村

【図表】「国令和3年予算」どの分野が重層化されるのか、を見抜くこと
＜「重層的支援体制整備事業」（実施は市区町村の任意）＞

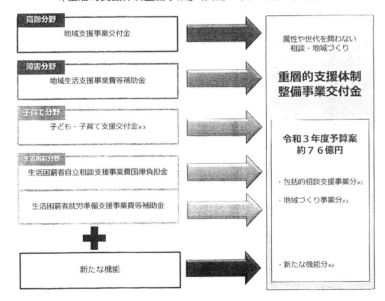

（4）厚労省「第8期介護保険（基本指針）」の狙いを 解読する

　時代の動きにあわせて、行政計画は修正されていくものです。介護保険も例外ではありません。総合事業の停滞、政府全体の取り組みになった認知症、団塊の世代が、後期高齢者になる2040年問題等々、高齢福祉と介護の計画づくりにも、社会経済構造の変化を取り入れる必要があります。

　同時に、パンデミックに襲われた2020年。このコロナ危機を、介護分野の計画づくりで指針に盛り込まれたのか、問われることでした。

　介護保険の事業計画策定に向けた厚労省の「基本指針」は、同省「社会保障審議会・介護保険部会」で検討されます。2020年の2月段階では、6つの基本指針として出発。

　それから「社会福祉法一部改正（地域共生社会の共助強まる）」、「2021骨太方針」を受けた後、7月27日の介護保険部会（第91回）において、「基本指針」は、次の7つの大きな項目として、設定されました。

　事実上、第8期介護保険事業計画策定に向けた自治体への行政指導です。

＜基本指針について＞第8期計画において記載を充実する事項（案）

1　2025・2040年を見据えたサービス基盤、人的基盤の整備

2　地域共生社会の実現

3　介護予防・健康づくり施策の充実・推進（地域支援事業等の効果的な実施）

4　有料老人ホームとサービス付き高齢者住宅に係る都道府県・市町村間の情報連携の強化

5　認知症施策推進大綱を踏まえた認知症施策の推進

6　地域包括ケアシステムを支える介護人材確保及び業務効率化の取組の強化

7　災害や感染症対策に係る体制整備

◪ **では、この厚労省が示した７つの「基本指針」の狙いを、利用者と自治体に立って、解読してみましょう。**

＜1　2025・2040を時期区分にターゲットにしたワケ＞

○　2040年は、自治体の再編の出口と設定されているからです。その再編は、広域的自治体の統廃合や過疎自治体の縮小化、AI 活用の事務効率化などが、主な再編の内容です。人口構造としては、団塊の世代の後期高齢者化もあります。大量の後期高齢者が存在する前提で、介護計画を考えなさい、というサジェスチョンです。

○　2025年は、菅政権の成長戦略の柱である「デジタル改革」と自治体の「デジタル改革」が一致することを指摘しておきます。2021年にデジタル局を創設して、その自治体版の狙いは、全国共通のソフト統一化。いつでもどこでもだれでも個人情報にアクセスできる自治体デジタル改革は、2025年が完成メドとされています。

○　介護の社会問題の解決に必要な時間として、2025・2040が設定されていると理解することはできません。

＜2　地域共生社会の実現を２番目にしたワケ＞

○　基本指針の２番目に位置づけていることに注目です。地域共生社会は、共助に力点が置かれる社会構想でした。国も自治体も、社会保障を自助・共助・公助と捉える傾向が強くなってきています。第８期介護保険計画において、地域共生社会の実現、とまで断定された位置づけが将来に渡って問題になり得るワケです。

　公的保障による介護計画ではなく、共助社会づくりの介護計画であれば、性質の変更を含んでいるからです。菅総理が、就任時に「自助・共助・公助」を公言したことも政府の社会保障に対する姿勢を露わにしていました。

○　そして、地域共生社会は、第８期介護保険事業計画の【目玉】の位置づけが、自治体の計画にもでてくるようになっています。

■ 例を示します。「第8期目黒区介護保険事業計画　素案」（2020年11月）では、「今回の制度改正は、2025年に向けた地域包括ケアシステムの推進や…現役世代の担い手の減少が進む2040年を見据えて、<u>地域共生社会の実現を目指して……</u>」（下線筆者）として、「(1)　<u>地域共生社会の実現</u>」は、第1の目標として設定されています。

■ 江戸川区「熟年しあわせ計画及び第8期介護保険事業計画　中間のまとめ」（2020年12月）では、高齢福祉施策と介護保険事業の前提として、「<u>地域共生社会の実現に向けて</u>」と総論として、位置づけられています。

　　江戸川区は、"熟年"という呼称が特徴の一つです。60歳からを"熟年"としています。しかし、2020年12月の「熟年しあわせ計画」は、65歳以上を対象としていました。"60・熟年の福祉への要望は何か"、注目していたのですが、残念な計画案でした。

＜3　介護予防・健康づくりは、総合事業の拡大だけではなく、一般会計の介護予防も計画に記載をするワケ＞

○ 健康づくりは保健事業です。保健事業は、介護保険事業ではありません。健康政策や保健所は、自治体の基本的な仕事です。基本指針では、介護予防を強化する、総合事業の柔軟な運用、就労支援やリハビリ提供も行う等、盛りだくさんのメニューを掲げています。介護保険事業を自治体'丸ごと'の仕事へと拡張していく狙いがありありです。

○ 「保険料あって介護なし」を打破するはずだった総合事業は、その役目を果たすことができそうにありません。そこで、次の一手。

　　予防の取り組みが良い自治体には、お金（交付金）を用意する、予防の取り組みが悪い自治体の背中もお金（交付金）で押して、総合事業＋健康事業＋……、という流れをつくりたいのです。

○ 交付金は、介護保険特別会計に入ります。そのあと、健康事業や福祉の相談業務として、一般会計の仕事と連動されていくために、介護保険特別会計から、一般会計へ繰出す出すことが、できるようになるワケです（16ｐ参照）。

＜4　有料老人ホームとサービス付き高齢者住宅(サ高住)設置状況を記載するワケ＞

○　有料老人ホームとサ高住は、介護保険制度上の高齢施設ではありません。その民間住宅産業による事業を公的な行政計画に記載をすることは、住宅市場にお年寄りの終の棲家を委ねることと同義です。

○　1980年から1990年代の介護保険以前は、特別養護老人ホーム(以下、特養)建設運動が、地域でおきることはありませんでした。2000年介護保険ができてから、特養への期待が高くなりました。年収が少ない人も入所できる施設・特養への期待です。

　　東京はじめ全国で特養に入りたいという要望が大きくなりました。地域の高齢者の運動の一つに、特養建設を、と広がっていきます。

○　やがて特養待機者の増大が、現実のこととなり、土地確保が難しい東京では、自治体の予定通りに特養建設が進まなくなってきました。その隙間を埋めたのが、有料老人ホームとサ高住です。

　　その有料老人ホームとサ高住の設置状況を「介護保険事業計画」に記載することになれば、特養待機者は、「特養をあきらめて、老人ホームに入るしかない」と追い込まれることでしょう。意識の変化のスピードは、早い。家族に迷惑をかけたくない、かけられないというお年寄りの切ない決意があるからです。

○　基本指針が示す第8期計画になると、特養は遠くなる、民間住宅産業に期待する、という介護保険の施設ケアの大転換になりかねません。

■　例を示します。八王子市の第8期介護保険策定の取り組みは、丁寧なプロセスです。2020年の早くから検討を始め、その内容をHPに掲載して、市民への情報提供を努力していました。

　　8月、転機です。地域共生社会を高くすること、施設ケアの民間高齢者住宅を記載すること。

　　結果、八王子市の第8期の計画では、特養建設ゼロ。有料老人ホームとサ高住については、市内の地域別に数が記載されるようになりました。待機者は、地域の社会保障運動で掴んだ数でも数百人。市の計画上は、特養への入所希望者1604人です。年金も減り、財産も

多くないお年よりは、どこに行けばよいのでしょう。

＜5　認知症対応については、足元が心配なワケ＞

○　認知症になってしまった人への社会全体の容認していく理解は、前を向いてすすんでいると見ていいでしょう。政府の取り組みも、厚労省だけではなく、教育分野では文科省など、政府全体として認知症を取り組むこととなっています。

○　若年性認知症の方の診断・発見から、居場所づくり、在宅ケアのサポートまで、残された課題もあります。中野区では、2020年11月から若年性認知症の相談窓口を開設、主に保健師が相談に対応しています。

○　自治体の足元が心配です。露骨な表現ですが、「役所の中が一番遅れているのではないか？」と尋ねたくなります。認知症のサポーターになると、オレンジリングを手に巻くことができます。介護保険課や高齢福祉課の職員は、認知症サポーターになり、地域の中でサポーターづくりに励んでいます。

○　さて、首長はどうでしょう。また、議員はどうでしょう。何人くらい自治体幹部と議員は、オレンジリングを手に巻くことができるでしょうか。小・中学生は、認知症の基礎知識を学びつつ地域ケアづくりへ参加を目指しています。首長と幹部職員と議員は全員、認知症サポーターになることは検討に値すると思います。

＜6　地域包括ケアシステムの人材確保・業務効率化は、別物でないワケ＞

○　介護現場において人材不足は、政治・行政・マスコミの常識的な事実です。問題は、どのようにして人づくりを行うかです。その確保は、自治体の本気度が試されています。

　　ベトナムからの留学資格「介護」者は増えています。しかし、外国人に将来の介護職を頼ることは、慎重の上にも慎重にする必要があります。日本語の習熟度不足だけではなく、日本に滞在する外国人の目的は、貯金を貯めて、やがて本国に戻ることにあるからです。

○　地域包括ケアとして"人材確保と業務効率化"が、基本指針として同

列に並ぶのは、なぜでしょうか。

　ロボットで代替できるのであれば、介護ロボットを現場に入れることを政府や関連企業は推奨しています。生きた人間を介護職として育てていくことは難しいと、本音では諦めているのかもしれません。

　また、介護現場は毎日毎日記録することも多く、月々の保険請求業務のための時間確保も苦労を伴っています。そうした事務作業に、ICTが使えるのであれば、業務の効率化により介護職はケアに専念してもらう構想があるワケです。

　ですから、一目では不思議な「人材確保と業務効率化」が並ぶのは、介護ロボットとICT化で、不足する介護人材を埋めることができるハズと期待しているためです。

＜7　災害と感染症対策を新しい項目として入れたワケ＞

○　災害と感染症を高齢福祉・介護保険の課題として、位置づけることは、積極的な意義があります。2020年の２月では、この＜7　災害と感染症＞は入っていなかったのです。新型コロナ危機に直面しているのは、医療提供現場だけではなく、介護現場も同じです。感染症対策を介護保険計画にも位置づけることは、だれからも支持されることになります。

　同じように、台風や地震による自然災害も毎年のように起きています。2019年、台風19号で避難することもできなくなっていた東京の下町のお年寄りは、老夫婦手に手を取って、「ここで死のう」と決意したケースもありました。幸い、川の氾濫はなくて、生命をながらえました。

　しかし、避難する場所に行けない、自宅の２階に上がるにも上がれないケース。災害時のお年寄りの生命を救済することは、誰の目にも課題であることが明確になりました。

○　介護政策における災害と感染症対策については、自治体の取り組み方次第と言っても過言ではありません。

　すでに「災害時ケアプラン」の策定に取り組んでいる別府市のことは、よく知られることになりました。その後、兵庫県や港区でも災害

時ケアプランの策定の取り組みが行われるようになりました。災害時ケアプランの策定は、次々と取り組みが広がっています。自治体計画としては、「地域防災計画」との連結が課題となります。介護保険制度でも、地域防災計画でも、未着手の領域が多く残されています。

　お年寄りの生命を救済するために何を準備しておくのか、だれが車いすを押して避難所まで連れていくのか、水害にあった住まいの改修経費はどうするのか、検討すべき事は山積しています。

○ 感染症対策としては、新型コロナの実態を把握した上で、その教訓を介護保険事業計画に、どのように盛り込めるのか、が問われています。そのためには、施設や在宅のコロナショックの実態が、前提になる必要があります。

■ コロナ危機に対応したことについて、調布市の計画では、一つの章を起こして、検討をしています。「第4章　感染症等が流行しても途切れない　つながりの構築」と題しています。

　そこでは、【令和2年11月までに市が行った新型コロナウイルス感染拡大防止対策】として、高齢者・介護政策に関わって＜休止・中止・自粛、物品販売、状況確認、連携、その他＞と区分して整理されています。

　注目したことは、市の取り組みが整理されていることです。今後の課題も明確になるだろうと期待されることでした。

■ 練馬区の場合は、第8期の計画策定過程において、感染症対策を強く意識していました。

　「新型コロナウイルス感染症の感染拡大により、高齢者の日常生活が大きく影響を受けるなか、要介護者の状態に応じて、医療と介護サービスが適切に連携し、在宅生活を支えることが重要である。要介護者のみならず介護者に対する新型コロナウイルス感染症の感染予防・発生時対応の両面の強化が必要である」（傍線筆者）

　「新型コロナウイルス感染症の感染拡大を防ぐため、介護保険施設等の感染防止対策について、予防と発生時対策の両面から事業者を支援し、入所者及び利用者へのサービス提供を維持する仕組みを構築する必要がある」（傍線筆者）

予防と発生時の両面から感染症における介護対策を検討する、この視点は「新型インフルエンザ等対策行動計画」（特措法に基づく義務的計画）からの応用だと推定されます。

○　「新型インフルエンザ等対策行動計画」は、都道府県も市区町村も「新型インフルエンザ等特別措置法」に基づく計画です。毎日、陽性者の数は報道されていますが、法律に基づく自治体の「行動計画」の有効性や課題については、寡聞にして、2020年から2021年1月まで見たことがありません。

　特措法の改正は、罰則規定を入れるかどうかが政府の提出改訂として、焦点化されています。

　しかし、検討すべき事はそれだけではありません。

　自治体が取り組んでいる「行動計画」が、医療・公衆衛生（保健所）・介護の分野で、充分であったかどうか、計画の点検が必要です。その計画の総括がなければ、不足している保健所及び保健師や介護保険施設の入所者への対応などの教訓が出てきません。教訓がでなければ、公衆衛生の基盤強化、介護現場の感染症対応の基盤整備が、宙に浮いたままになることが懸念されます。

○　厚労省において災害と感染症対策は、介護報酬改定で重要事項になっています。

　「令和3年介護報酬改定の主な事項について」（2021年1月18日）では、次のように災害と感染症と介護報酬とリンクさせています。

　　　＊「感染症対策の強化
　　　　・施設系サービスについて、現行の委員会の開催、指針の整備、研修の実施等に加え、訓練（シミュレーション）の実施」
　　　＊「災害への地域と連携した対応の強化
　　　　・災害への対応においては、地域との連携が不可欠であることを踏まえ……訓練の実施に当たっては、地域住民の参加が得られるよう連携に努めなければならない」

"平時の訓練なくして、お年寄りの生命の救済なし"
すべての自治体と介護現場において取り組みを強化しましょう。

(5) 「介護保険」を【10のチェックポイント】で
　　点検・評価しよう

　介護保険20年は、大きな転換点にあることは、分かっていただけたと思います。次は、それぞれの自治体「第8期介護保険事業計画」は、どのようになっているのか、分析と評価です。

　墨田区の「高齢福祉総合計画・第8期介護保険事業計画(中間のまとめ・案)」(2020年12月)を「まな板」にのせて分解します。

　「10のチェックポイント」を用意しました。社会福祉法一部改正や厚労省の基本指針、それに介護の社会問題を念頭においた「私家版チェックポイント10」です。難しくなく、誰でも使えるように工夫をしたつもりです。「まな板」に載せてしまった墨田区には申し訳ありません。

　誰でも使えるかどうか「まな板」に乗っているのは、筆者も同じです。紙数のこともあり、10のポイントを最初に掲載して、その中から5つを取り出し分析と評価を例示します。

　　　⑩のチェックポイント
　＜第1＞　計画づくりのための基礎調査は、いつ行ったのか？
　　　　　　「コロナ禍の前」か、「コロナ禍進行中」か？
　＜第2＞　介護保険財政の貯金(基金)を明らかにしているか？
　　　　　　その貯金を保険料値下げに使う計画になっているか？
　＜第3＞　「有料老人ホーム」と「サービス付き高齢者住宅」の記載が
　　　　　　あるか？
　　　　　　特養(特別養護老人ホーム)の増設する計画になっているか？
　＜第4＞　首長・管理職・議員は、オレンジリングを身につけている
　　　　　　か？
　＜第5＞　「介護保険料未納者の数」および「差押え」を公表している
　　　　　　か？
　＜第6＞　ターミナルケアを想定しているか、本人が望めば畳の上で
　　　　　　死ねるか？

<第7> 本気で介護職を養成して増やす決意があるか。そのプラン
ができているか？

<第8> 新しい課題の「感染症対策」は？
「新型インフルエンザ等対策行動計画」と連結されている
か？

<第9> 新しい課題の「災害対策」は？
「地域防災計画」と連結されているか？

<第10> 高齢者の生活支援を［丸ごと］政策化しているか？
老人福祉法を最大限活用することになっているか？

<第1> 計画づくりのための基礎調査は、いつ行ったのか？
「コロナ禍の前」か、「コロナ禍進行中」か？

○ コロナ禍前の高齢者実態や介護事業者の調査を前提にした計画
策定は、リアリティに欠けます。過去の問題ではなくて、未曾有
のコロナショックにある現実を見据えた調査でなければなりませ
ん。小学生でも分かる常識的なことです。

■ では、墨田区をチェック。「介護予防・在宅介護調査」は、2019
年12月6日～20日。
合格点は出せません。コロナ問題の前の調査でした。

<第2> 介護保険財政の貯金（基金）を明らかにしているか？
その貯金を保険料値下げに使う計画になっているか？

○ 介護保険特別会計に貯金がありえることを理解してください。次
は、介護保険事業計画にその貯金額を明記して、どのように保険
料に充当するのか、明確化されているかどうか、これがチェック
ポイントになります。介護保険制度の貯金は、「介護給付費準備
基金保有額」と呼びます。

■ 墨田区は、貯金額の記載ありません。貯金額の記載もないので、
第8期の介護保険料にどれくらい使うのか、不明です。墨田区の
介護保険特別会計には、約13億（2018年決算）の貯金がありました。

　江戸川区は、「令和2年度末の介護給付費準備基金残高は約32億1879万円になると見込まれています。この基金の一部を取り崩すことにより、第8期保険料の上昇抑制に充てることが可能です」と明解です。

＜第3＞　「有料老人ホーム」と「サービス付き高齢者住宅」が明示してあるか？ 特養（特別養護老人ホーム）の増設予定はあるか？

○　基本指針では、「有料老人ホーム」と「サービス付き高齢者住宅」を明示することを求めていました。実際の計画には、この2つがどのように記載されているのかを点検です。さらに特養の増設の計画になっているのかどうか。これが、施設ケアのチェックポイントとなります。

■　墨田区は、かつて2009年、たまゆら事件を起こしました。区外の群馬県渋川市の有料老人ホームに生活保護の方を入所させていました。火事により死亡者がでて、墨田区は世論の指弾を受けました。

　墨田区の第8期介護保険の方針は、厚労省とほとんど一致します。しかし第8期の墨田区の計画は、「有料老人ホーム」「サ高住」の記載はありません。これ以外は全て厚労省路線と一致するのになぜでしょうか。このままでは区外の有料老人ホームに生活保護者を追い出しているのではないか、と疑われてしまいます。

　葛飾区、豊島区、世田谷区、八王子市等、分析できた範囲では「有料老人ホーム」と「サ高住」の現状の表記がでてきますので、施設ケアの転換点に立たされていることは明白です。

＜第9＞　新しい課題の「災害対策」は？
　　　　「地域防災計画」と連結されているか？

○　災害列島化している日本。東京都東部地帯は、地震・洪水氾濫の危険地帯が広がっています。介護保険の計画に、災害対策と連結させることは、住民の生命をまもる、介護を受けている人の生命

を守るということにおいて、大きな政策的前進です。

　自治体には「地域防災計画」が先行して策定されています。介護の所管ではありません。違う所管課の計画と介護の計画を摺り合わせて、どちらも修正する必要があります。

■　墨田区は、「『墨田区新型インフルエンザ等対策行動計画』、『墨田区地域防災計画』との整合性をはかり、平時からの備えと対策を展開していきます」と明解です。これが、新しい課題に対するツボの一つです。

　さらに具体的な「災害時ケアプラン」については、「避難行動要支援者名簿の作成」さらに「避難支援プランの作成」を打ち出して、「災害時ケアプラン」を実行することになっています。

　災害の時、誰をどのように救うのかです。「障害特性に応じた避難支援体制の整備を図ります。特に在宅人工呼吸器使用者対策として、災害時個別支援計画を作成」と災害難民発生の予防、災害発生後のために「要配慮者救護所の開設」も行うとしています。欲をいえば「避難支援プラン」について、平時に訓練・強化をすることが計画化されていれば、満点をつけたくなります。

<第10>　高齢者の生活支援を[丸ごと]政策化しているか？
　　　　老人福祉法を最大限活用することになっているか？

○　介護保険法の「介護保険事業計画」と老人福祉法の「高齢者福祉計画」と重ねた計画づくりが、原則です。介護保険制度で提供される介護サービスは、お年寄りの生活の「部分」という捉え方になっているためです。老人福祉法の活用は広く、日の出町の老人医療費無料化等も根拠法は、老人福祉法です。

　注意しなければならないことは、自治体独自に取り組んでいた老人福祉法に基づく生活を支えている細かな対策が縮小したり、消えていくことです。

■　墨田区は、これまでの高齢福祉と介護保険の計画において、お年寄りの施設や在宅の暮らしに寄り添い、豊かにするために多くの

メニューを持っていました。他自治体とは比較にならない独自性があります。次のようなことが、高齢福祉や介護保険の担当外の取り組みとして第8期の計画にでてきます。

［所管］	［事業一覧　（総数125から5つ抜粋）］
◎清掃事務所	高齢者世帯のゴミ・資源戸別収集、粗大ごみ運び出し
◎ひきふね図書館	特養への出張・団体貸出
◎住宅課	高齢者等住宅あっせん
◎防災課	要配慮者サポート隊の結成支援
◎スポーツ振興課	高齢者健康体操教室

（6）介護保険に貯金がある
　　貯金は、全額、介護保険料値下げに使うべし

　高くなった介護保険料。3ヵ年の回数を重ねる毎に値上げが続いています。介護保険の会計に貯金があることは、知られていることでしょうか。

　第8期の介護保険料の値上げ案について、第8期介護保険事業計画（案）では、江戸川区は「6600円程度、貯金使う」、葛飾区は「7200〜7500円。10億円貯金使う」としていました。墨田区のように貯金を使うかどうか不明の自治体も少なくありません。羽村市は、貯金を使うことが普通になっている模様で、第8期は5000円台で留まる見込みです。

　図1は、23区の介護保険の貯金額を示しています。足立区42億円から千代田区3億円の順位でした。それを第1号保険者の貯金額にしたのが図2です。中野区が65歳以上一人当たり、4万円の貯金。中央区・豊島区・江東区は、3万円。驚くべき貯金額です。12pで示したように、第3期から第4期は、保険料が下がりました。介護保険の貯金額は、全額、介護保険料の値下げに使うべきです。そのためには、地域から介護改革の運動を起こさなければなりません。

図1　23区別　介護保険「貯金額」比較（2018年決算）

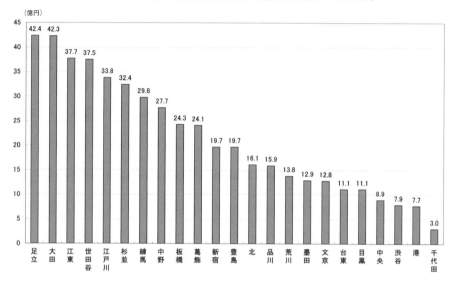

（億円）

区	貯金額
足立	42.4
大田	42.3
江東	37.7
世田谷	37.5
江戸川	33.8
杉並	32.4
練馬	29.8
中野	27.7
板橋	24.3
葛飾	24.1
新宿	19.7
豊島	19.7
北	16.1
品川	15.9
荒川	13.8
墨田	12.9
文京	12.8
台東	11.1
目黒	11.1
中央	8.9
渋谷	7.9
港	7.7
千代田	3.0

図2　65歳以上一人当たり介護保険「貯金額」（2018年決算）

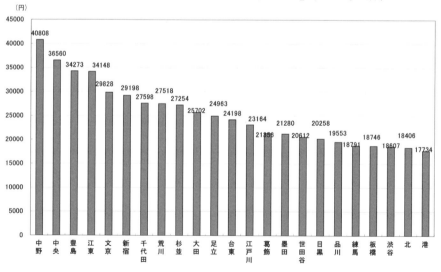

（円）

区	貯金額
中野	40808
中央	36560
豊島	34273
江東	34148
文京	29828
新宿	29198
千代田	27598
荒川	27518
杉並	27254
大田	25702
足立	24963
台東	24198
江戸川	23164
葛飾	21356
墨田	21280
世田谷	20612
目黒	20258
品川	19553
練馬	18791
板橋	18746
渋谷	18607
北	18406
港	17734

（図は、33p の方法で作成）

＜自治体の介護保険特別会計・貯金の見つけ方＞
―ワンポイント・レッスン―

厚労省は、「介護給付費準備基金保有額」と呼ぶ。パソコンで検索する方法。政府統計名は「介護保険事業状況報告」。

① 「e-Stat　第15表　保険者別　介護保険特別会計計理状況　保険事業勘定」と入力。統計は＜都道府県別＞と＜保険者別＞に分けてある。

② （歳入）（歳出）（合計）の欄を確認する

③ （合計）をみる

④ （合計）の最後欄に「介護給付費準備基金保有額」を確認する

⑤ 自治体を見つけて「介護給付費準備基金保有額」を確定する。

　それが、介護保険の貯金

⑥ 調査年を確認して、引用する時には（出所）を明記する

未解明のこと。総務省の担当者からの電話ヒヤリングでは、総務省公式データ介護保険特別会計の貯金額を示した数字ない。なぜ？か不明のまま

国民健康保険特別会計の基金(貯金額)は、「地方財政状況調査表」の「国民健康保険事業会計(事業勘定)決算の状況」(97頁)の「参考」「現在高基金現在高」として表記される。これを見つけて国保料値下げの根拠とした運動は、全国で取り組まれてきた。

2 武蔵野市副市長
笹井　肇 氏に聞く

聞き手：安達　智則（東京自治問題研究所 主任研究員）

武蔵野市の個性ある「高齢者総合政策」の実態に迫る

安達：本日はお忙しいなか、ありがとうございます。介護保険制度が発足して20年経ちました。笹井副市長は、長らく介護保険の市の行政のご担当もされてきました。20年経過した介護保険制度をどのように見ていらっしゃいますか。また、個性あり自治の要素が込められた武蔵野市の介護の取り組みは、注目してきました。最近の取り組みなど、どのような工夫をされているでしょうか。

◇介護の社会化が、介護保険の原点

笹井：介護保険の原点は、「介護の社会化」です。福祉制度の行政措置制度の時代は、社会的入院、在宅寝たきり高齢者の増大という問題を解決できないままでした。さらに、介護は介護、医療は医療と相互の連携は不十分でした。家族をめぐる状況は、多世代同居から核家族化という背景もあり、介護保険制度が立ち向かう「介護の社会化」、「利用者本位（自己決定）」、「自立支援」が、創設の理念と受け止めています。

　その後、介護保険も度重なる制度改正がありました。2014年の改正、

2015年から始まった「介護予防・日常生活支援総合事業」(以下、総合事業)の導入は、制度発足の理念とは違うのではないかと思います。「総合事業」の拡大は、介護保険法第1条と第2条との関係を整理する必要があると私は考えています。

　第1条では、「加齢に伴って生じる心身の変化に起因する疾病等により要介護状態となり、入浴、排せつ、食事等の介護、機能訓練並びに看護及び療養上の管理その他の医療を要する者等について、これらの者が尊厳を保持し、その有する能力に応じ自立した日常生活を営むことができるよう、必要な保健医療サービス及び福祉サービスに係る給付を行うため……」と謳っています。

　第2条は、「介護保険は、被保険者の要介護状態又は要支援状態に関し、必要な保険給付を行うものとする。第2条2項は、医療との連携。3項は、選択に基づき、適切な保健医療サービス及び福祉サービスが、多様な事業者又は施設から、総合的かつ効率的に提供されるよう配慮して行われなければならない。4項は、可能な限り、その居宅において、その有する能力に応じて自立した日常生活を営むこと」という規定となっています。それにもかかわらず「総合事業」は、要介護・要支援状態の方に必要な介護給付を行わないで、自治体に決定権のある「地域支援事業」として「総合事業」に代替していこうという流れです。「総合事業」導入時から私は言っていますが、第2条に抵触する可能性がある。「被保険者の要介護状態又は要支援状態に関し、必要な保険給付を行う」と条文に書かれています。百歩厚生労働省に譲っても、「介護給付」を選ぶか、「総合事業」を選ぶか、は保険者(市町村)ではなく、被保険者(利用者)が選択すべきものです。

　介護保険制度は、行政権による措置制度からの転換という思想的転換を自治体に課したのだと思います。

　それまでは、市町村が「この人は低所得者だからサービス提供対象者だ」と措置していたのですが、それを普遍的なものへと転換を行った。また、保護主義から自立主義への転換と言えるでしょう。

　それに加えて、2000年は地方分権改革のスタートでした。地方分権「一括法」との関係でいうと、国主導の機関委任事務体系から自治体責任を主

とする自治事務体系へと変化して、権限委譲や行政責任の変化がありました。地方分権の主体確立とあいまって、介護保険は市町村が保険者になり、直接住民の中の被保険者（利用者）と向き合うことになりました。

　基礎自治体としての市町村が保険者になることで、介護保険政策を評価すること、サービスの状況を正確に地域単位で把握できる、わがまちの分析ができる仕組みができました。介護保険制度は、筒井孝子先生等のご尽力により「1分間タイムスタディ調査」に基づき、「介護の手間」を科学的に分析したうえで、「要介護認定」という仕組みを創設しました。それまでは私もそうでしたが、「経験と勘」のサービス提供でした。この人はこういうサービスが必要だろうと。それが科学的根拠かはともかく、少なくとも経験と勘だけでない「科学としての介護」への転換を介護保険制度は実現し、それを武蔵野市も実現させてきたのです。

◇高齢者福祉の総合化と介護保険

　介護保険はナショナルスタンダードでしかありません。市町村ごとに、その地域の実情に応じた介護保険を補完する仕組みが必要になります。そこで、武蔵野市における高齢者福祉と介護保険の基本的考え方は、介護保険制度は高齢者介護の一部分しか担えない、そのため高齢者の生活を総合的に支える「まちづくり」の目標（高齢者福祉総合条例第2条）が必要になるという問題意識で、武蔵野市は2000年3月に介護保険条例とともに高齢者福祉総合条例を同時に制定しました。どの自治体も高齢者福祉計画・介護保険事業計画は、老人福祉法と介護保険法の2つの法律を基礎にするわけですから、介護保険事業を高齢者福祉が補完し包摂する仕組みが必要となります。

　これが後から、国が言うところの「地域包括ケアシステム」の理念になっていくともいえます。

　武蔵野市の高齢者福祉が、国が描く「地域包括ケアシステム」の仕組みよりも武蔵野らしいところは、雇用・生涯学習、それに移送や交通体系にも力を入れていることです。住まいと介護だけでなく、住まいを確保しても、そこから一歩も出られないようであれば、高齢者の重度化・弱体化は

進みます。そこはレモンキャブやムーバスなどの外出支援・移動サービスで保障しています。

> **安達**：コミュニティバスとして、ムーバスは全国でも有名になりました。それに加えて、レモンキャブは、車いす対応軽自動車で、ドア・ツー・ドアのサービスを提供することですね。高齢者や障がいのある車いすを日常生活で使っている人にとっては、レモンキャブは、外出することで、人生を楽しくできます。買物難民の救済にもなるので、武蔵野の取り組みは、全国から注目されてきました。

笹井：市は、高齢者福祉計画・介護保険事業計画に次のようなことを掲げています。○いつまでもいきいきと健康に　○ひとり暮らしでも　○認知症になっても　○中・重度の要介護状態になっても住み慣れた地域の生活継続を目指します。

そして強化すべきこととして「○自立支援・重度化予防へ向けた医療と介護の連携」と、すでに課題になっていますが、制度の土台になる緊急に解決すべきこととして「○高齢者を支える人材の確保・育成」が必要であり、さらに地域共生社会の実現を目指し「誰もが」住み慣れた地域で生活できるまちづくりを着実に進めることを事業計画に盛り込みました。

厚生労働省の「地域包括ケア『見える化』システム」では、様々な指標を用いて地域分析が可能です。第1号被保険者1人あたり給付月額を、〈施設及び居住系サービス〉を横軸に、〈在宅サービス〉を縦軸にした比較図を見ると、〈在宅サービス〉は少ないけど、〈施設サービス〉は多い自治体は、例えば、あきる野市、青梅市など特養が多いところです。

武蔵野市や23区は全国平均より〈在宅サービス〉〈施設サービス〉ともに大きい。そういう分析を、自治体で比較可能になりました。自己点検ができる訳です。

「テンミリオンハウス」は、介護保険導入前夜に作ったのですが、テンミリオンハウスは、日本語にすれば、1000万円の住まい。市が年間1000万円を上限に補助金を出して、NPOや市民団体が、介護予防ミニデイや

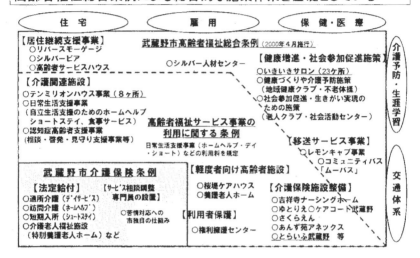

図表　武蔵野市高齢福祉総合条例の概念図（武蔵野市資料より）

ショートステイ事業を行います。現在、8ヵ所のテンミリオンハウスができました。気楽に立ち寄れる「見守りとつながりの場」といえるでしょうか。

　「武蔵野市は財政的余裕があるから、テンミリオンハウスなどの事業ができていいですね」と言われますが、措置制度と介護保険導入後との財政負担の差を活用すれば、どこの自治体でも同様なサービスは可能なはずです。措置による福祉事業の場合、市負担25％が典型的な負担比率でした。介護保険は、市の負担比率は、原則12.5％ですから、半減しました。それまで一般会計の高齢福祉事業として行っていた事業で介護保険事業に移行できたものがあるために、一般会計に25％－12.5％＝12.5％の負担余剰金が出てきました。その財源は、介護保険給付の対象とならない方向けの介護保険を補完する福祉施策の財源にしています。

　「いきいきサロン」は、現在23ヵ所で活動しています。この取り組みは、重度化予防に資する健康長寿のまちづくりには、週1回以上の交流が大事になるということです。同居者以外の他者との交流が週1回以上ある高齢者は月1回未満の人よりも要介護状態や認知症になりにくい、という千葉

大の近藤克則先生たちの研究結果に基づいています。週1回でいいから皆で交流できるサロンのようなものを作ろうということです。

◇「介護保険20年」の前進は、医療と介護の連携

介護保険制度ができて20年で一番前進したのは「医療と介護の連携」です。介護職が、医師と情報共有するといったことは、措置制度の時は考えられませんでした。医療側の先生たちも、自分たちが治療した患者が地域に戻った後のことは知らない、という段階から、在宅に戻った後のことも考えて治療していく。大きな変化です。医療側の先生たちも介護との情報共有の必要性を認識し、介護側も敷居の高かった医師との情報共有できるようになった。主治医とよくコミュニケーションをとらないと、よいケアプランが作れないでしょう。

武蔵野市でも「福祉人材の確保と育成」が課題になっています。市では、「ケアリンピック武蔵野」を開催し、2015年に市内で15年介護事業に関わっていただいた介護職・医療職の方々の表彰を行い、事例発表をしてもらいました。法人の中での事例発表はよくありますが、地域全体での事例発表はあまり前例がありません。また、「武蔵野市認定ヘルパー制度」として、「総合事業」の中で市独自のヘルパー養成の認定を行いました。

この「武蔵野市認定ヘルパー」は、介護福祉士などの資格をもたない方に18時間の市独自研修を受けてもらい、市のヘルパーとして認定をして、軽度者へのサービスなどの仕事に従事してもらうものです。国家資格のあるプロは重度者を担当してもらう。「地域包括ケア人材育成センター」を2018年12月に開設し、認定ヘルパーや初任者研修（これまでの2級ヘルパー養成）を取り組んでいます。医療行為としての線引きの課題はありますが、在宅ケアの質の向上という面で「痰の吸引」の研修などにも取り組んでいます。

◇武蔵野市は、「まち・ぐるみ・ささえあい」を 大切にしている

市では地域包括ケアシステムという言葉は使わずに、「地域」を「まち」、

「包括」を「ぐるみ」、「ケアシステム」を「支え合い」と読み替えています。ですから、市の地域包括ケアシステムは「2025年に向けたまちぐるみの支え合い」と計画でも位置付けています。

　今後の課題ですが、「人材の確保と育成」、「ひとり暮らし高齢者の見守り（武蔵野は高齢者の４人に１人がひとり暮らし）」、「早期退院後の在宅ケア」があります。複雑・多様化した支援ニーズに対する重層的相談、これは「8050問題」（80歳代の親と、ひきこもり等がある50歳代の子がいる世帯）や、ダブルケア・トリプルケア問題（ダブルケア：介護と育児を同時に行う等、トリプルケア：さらに配偶者等の介護も伴う等）などです。80代の要介護高齢者の家に50代の引きこもりの人がいることもあり、これは介護保険や高齢者福祉だけでは対応できない。

　６月に社会福祉法が改正になり、重層的支援体制整備事業が、課題として国から提起されています。第８期の介護保険事業計画においても、新規事業を構想中です。2020年度９月から、「武蔵野市介護職・看護職 Re スタート支援金」制度を一般会計の負担で始めました。これは、看護や介護の国家資格を持っているけど他の仕事をしていた方とか、資格を活かした職に就いていない方とかが介護サービス事業所に常勤で就職していただくと、15万円支援金を出します。資格を有しない人でも、常勤で介護現場に仕事をされるのであれば、５万円支給します。

　介護の資格を取得するための市のサポートは、「地域包括ケア人材育成センター」が取り組んでいます。

　　　　安達：武蔵野の「高齢者福祉総合条例」は、20年前から非常に優れたものだと参考にしていました。他の自治体もこれくらいのものを作ってほしいと常々言っています。厚労省は、第８期の介護保険事業計画に際して、「災害と感染症」の項目を入れることを求めています。

　　　　武蔵野市が、災害や感染症の新しい項目を介護保険事業計画に入れると、感染症では「新型インフルエンザ特措法」で策定が義務化されている「武蔵野市新型インフルエンザ等対策行動

計画」との調整、災害は「地域防災計画」との調整などがでて
くるのではないでしょうか。こうした新しい課題に、高齢福祉
や介護との連携はどうしたいとお考えですか？

笹井：「地域防災計画」は、災害と感染症の観点も含めて来年度から見直
します。新型コロナの行動計画は、武蔵野市では、新型インフルエンザの
流行の時に策定した「新型インフルエンザ行動計画」に準拠しています。

　さらに今年10月に各課における市民の生命、安全確保や社会生活の維
持に関する業務に優先順位をつけて「武蔵野市新型コロナウィルス感染症
業務継続計画（BCP）」を策定しました。それらを受けて高齢者福祉計画・
介護保険事業計画では、「災害や感染症が発生しても安心して生活できる」
という項目を立てる予定です。

　４月現在で、20ヵ所の高齢者施設を福祉避難所等と指定しています。
これを拡充します。新型コロナで、施設の方々からも具体的にどうしてい
けばいいのかの声をいただいています。高齢者福祉計画・介護保険事業計
画の方が早くて、地域防災計画の方が後になったので、第８期高齢者福祉
計画・介護保険事業計画の「中間まとめ」には間に合っていませんが、感
染症対策や災害対応の連携については、「最終報告」には入れたいと思い
ます。

◇社会福祉法改正での地域共生社会について

　　安達：総論的なことを言うと、今回、社会福祉法の改正で地域
　　共生社会の要素が色濃く出ました。そのことが、笹井さんから
　　改めて紹介していただいた武蔵野市のこれまでの高齢総合政策
　　の枠組との関係で考えると、発展につながるのか、それとも関
　　係性はあまりないのか、よく分からないところがあります。社
　　会福祉法改正による「地域共生社会」施策と、従来の武蔵野市
　　の総合条例との整合性はどのようにお考えですか。

笹井：今回の法改正は、新しく出てきたものではなくて、「我が事丸ごと」
の延長線で法律に位置付けることになりましたので、人材の共通化や共通
したサービスということを含め、武蔵野市ならではの地域共生サービスを

計画策定の中でも議論していただくようお願いしています。しかし、地域共生については、実態は先行して取り組んできたこともあります。例えば、先のテンミリオンハウス、いきいきサロンでは、高齢者と障害者が一緒に集ったり、乳幼児親子と高齢者の交流は、すでにあります。

　とりわけ市の西部地域では、特別養護老人ホームや老人保健施設、障害者の重度グループホーム、放課後等デイサービス、児童発達障害の相談機能などが集積しています。そこが「地域共生社会のモデル」で、エリア別の地域包括ケア協議会を地域共生社会型に拡充しようと考えています。

　もともと高齢者施設の一部を転用していますので、職員は高齢者も障害者も両方対応できるわけです。高齢者の在宅介護・地域包括ケアセンターも児童発達支援の相談機能も同じ館にありますので、発達障害のお子さんから高齢者まで、多世代の相談支援に同一施設で対応できます。

> **安達**：今回の法改正では、地域福祉計画が、介護保険事業計画・障がい計画・子育て計画等の上位にくるかのように書いてあるのですが、地域福祉の地域共生社会の事業は、基本は自治事務でしょう。各自治体が自由裁量でやれるのか、それとも地域福祉計画が上位計画になって、その他計画がぶらさがるように厚生労働省の行政指導が強くて義務的な計画体系になるのか、そのあたりはいかがですか。

笹井：武蔵野市は、地域福祉計画と健康福祉総合計画があり、位置付けとしては、一応、健康福祉総合計画が上位計画の位置づけですが、その中に健康推進計画も高齢者福祉計画・介護保険事業計画も障害者計画・障害福祉計画もあって、これらをトータルにしてどういう方向性にするのかが2018年から2023年の６年計画です。３年単位で、高齢者福祉計画・介護保険事業計画と障害者計画・障害福祉計画を見直します。

　まず個別の福祉計画や健康推進計画があって、そこと上位・下位というよりも、各個別計画を全体化・体系化し、一体的に連携させる計画が必要だという認識で、総合調整計画として、武蔵野市健康福祉総合計画があります。それを国は地域福祉計画だと言っているのかもしれませんが、武蔵

野市は福祉総合計画があるので、今後必要があればこれを見直していきます。３年後にまた全体の見直しがあるので、そこで総合調整すればいいのではないかと思っています。

　　　　安達：今までの積み上げを必要に応じて改定ということですか。
　　　　法律上もそれでいいのですね。保険者機能強化推進交付金が、
　　　　2020年から介護の特別会計から一般会計に充当可能になりま
　　　　した。この交付金は、一般的には介護費を減らしたらインセン
　　　　ティブと受け止められています。要介護５が減って、要支援が
　　　　増えたらインセンティブがつく。それが一般会計に繰り入れら
　　　　れることに、市としての受け止めはいかがですか。

笹井：そもそも武蔵野市としては、保険者機能強化推進交付金が始まったころから、保険者機能や地域包括ケアシステムの推進のために新設した交付金なのだから、地域の実情に応じて特別会計の介護保険事業会計でも一般会計でもフレキシブルに活用できるようにすべき、と主張してきました。武蔵野市は介護保険を補完するテンミリオンハウスのような取り組みをしていますので、そうした事業に充当できるという意味では、保険者機能の強化やまちぐるみの支え合いの推進につながるのでよかったと思います。

　　　　安達：今年度当初予算では武蔵野市は、「保険者機能強化推進
　　　　交付金」をどれくらい計上していますか。

笹井：平成30年度より「保険者機能強化推進交付金」が導入されましたが、毎年度当初予算では計上しておらず、補正にて計上しています。令和元年度は高い評価をいただき、2263万5000円でした。自治体によっては直接基金に積み立てて、単に保険料減額の原資としかとらえていないところも多いのではないかと思われます。

　令和２年度より従来の「保険者機能推進交付金」に加え、消費増税分を財源に、公的保険制度における介護予防の位置付けを高めるため、「介護保険者努力支援交付金」が創設されました。

　評価にあたっては「Ⅱ自立支援、重度化防止等に資する施策の推進」を

中心に評価指標を拡充、回答を４段階に精緻化等により評価を明確化、この補助金に関する新たな評価指標は設けられず、自立支援・重度化防止の取り組みについての評価を重視し、ダブルカウントする形で交付金の額が決定されます。令和２年度は算定を第１号被保険者数から保険者規模に見直されたため、交付金額はほぼ令和元年度並み、交付金の拡充により概ね倍額となっています。また、国は交付額内示時期は事業の新規・拡充の施行に間に合わせるために年々早めているものの従来は当該年度に交付していました。令和２年度は２年度分に加え、令和３年度分評価指標を実施し年内に内示予定とすることで来年度予算に計上できるようにするとしています。

> 安達：直接一般会計に入って使える方が分かりやすいですね。一般会計で使えるなら、武蔵野市のように独自事業をたくさん実施している自治体は使いやすいですね。今日も話題になった「総合事業」の地域総合事業のＢ型（住民による運営方式）、年間20万円上限でしたか、国が定めた条件が撤廃されたとなると、必要に応じて、年間50万円とか100万円とか、地域活動のプラス分に出しやすくなることはありますか。

笹井：国は今まで総合事業の報酬は、月額包括報酬を原則として上限額を設定してきましたが、武蔵野市は、利用者が病気や怪我で参加できなかったり、お休みしたい場合もあるだろう、との判断から、月額包括報酬ではなく１回あたりいくらという利用回数別の単価設定にしています。しかし、これだと５週ある月などは、国が定めた月額報酬限度額を超えてしまいます。武蔵野市は、この点についても「総合事業は市町村事業なので、国が上限額を設定したり報酬体系を細かく設定するのはおかしい」と主張してきました。ただ国はそれを今回弾力化するといってきました。

　実は、「いきいきサロン」は当初、総合事業の施行検討の中では、「通所型サービスＢ型」として制度設計したのですが、Ｂ型に位置付けると、地域支援事業として介護保険財源で実施することになる。これが隘路なのですが、「通所型サービスＢ型」が増えれば増えるほど保険料が上がるのです。「いきいきサロン」は当初８ヵ所しかなかったのですが、今は生活支援コー

ディネーターと住民の積極的な取組で20ヵ所以上に増加しています。もし、これを介護保険の「通所型サービスＢ型」に位置付けると、住民が主体的に一生懸命、共助の取り組みをやればやるほど保険料が上がるという理不尽なことになってしまう。そこで、一般会計による一般介護予防事業の位置付けの方がいいだろうとなりました。介護予防をどう考えるかですが、テンミリオンハウスもいきいきサロンも一般会計の事業でやっています。介護予防をやればやるほど保険料が上がるという矛盾するような制度を是正するためにも、「保険者機能強化推進交付金」の一般会計予防事業への充当も可能という今回の改正は評価できます。

　武蔵野市は、すでに介護保険料が都内でも高い方ですし、本来「保険給付」ではない総合事業などの予防事業をすべて特別会計の介護保険事業会計で実施すると、保険料が上がる、この仕組みは保険制度のそもそもの課題だと思います。

　　　　安達：それは武蔵野市の特色ですね。他の自治体ではやればやるほど問題が出てくる。武蔵野市のように総合条例があると、やりやすいと思います。そこは、各自治体で共通理解ができているのでしょうか。それと、厚生労働者の指針では「有料老人ホーム」「サービス付き高齢者向け住宅」の実態を介護保険事業計画に実態を書くようにされています。どこまで書けそうですか。

笹井：共通理解は難しいのではないですか。一般会計で独自の高齢者福祉事業を展開していない自治体は、特別会計の介護保険事業会計内でやらざるをえないかもしれない。「保険者機能強化推進交付金」を一般会計予防事業へ充当可能ということは、武蔵野市のように介護保険料が高くて、介護予防事業を一般会計で実施している、23区などでも助かると思います。

　また、ご指摘のとおり、基本指針では「有料老人ホームとサービス付き高齢者住宅に係る都道府県・市町村間の情報連携の強化」「住宅型有料老人ホーム及びサービス付き高齢者向け住宅の設置状況を記載」「整備に当たっては、有料老人ホーム及びサービス付き高齢者向け住宅の設置状況、要介護者等の人数、利用状況等を勘案して計画を策定」と規定されています。

　次期計画では、設置状況、定員数、近隣等との比較、本市の方針等を記

載する予定です。

　そこで、「サービス付き高齢者住宅」については、武蔵野市は東京都補助をもらうための基準について、東京都医療・介護連携型サービス付き高齢者向け住宅、又はテンミリオンハウス併設にすることを定めています。「サービス付き高齢者住宅」での生活が厳しくなられた方は、「特別養護老人ホーム」か「介護老人保健施設」に行くしかない。「サービス付き高齢者住宅」だけ増えてしまうと、「サービス付き高齢者住宅」で看取りができるサービス提供体制を作るか、その次のステップの施設を整備する必要があるので、本市としては「サービス付き高齢者住宅」の増設には消極的です。

　ただ、「サービス付き高齢者住宅」や「有料老人ホーム」に入られる方は、その方の選択を尊重すべきと考えています。

　　　　安達：「サービス付き高齢者住宅」も介護保険事業計画に記載が出てくると、「特別養護老人ホーム」と同じようなものと誤解されないようにしないといけないと思います。

　　　　住民運動でも「特別養護老人ホームつくれ」はやってきましたが、「サービス付き高齢者住宅」は民間事業者による許可制度で、介護保険事業計画に登場すると、これも保険者（自治体財政）が面倒みるのかという話になる。第8期の要注意事項の変化になる可能性があります。

　　　　最後に、武蔵野市は市民説明に副市長や部長が出向き、大変丁寧にされています。さすがに市民参加・コミュニティ行政を蓄積されてきた武蔵野市として、評価は非常に高いですね。

笹井：ただ、今までは計画の説明会などは、最低3回数日間にわたって開催してきましたが、今回は新型コロナ感染症拡大防止のために1回にせざるを得ませんでした。そのかわり、パブリックコメント期間を延長したり、関連事業者の方へは、いつもより丁寧に説明したりしようと思っています。

　　　　安達：今日は、いろいろとお話ができました。大変お忙しいなか、どうもありがとうございました。

（2020年10月20日、武蔵野市役所においてインタビューをさせていだたきました。）

3

見逃されている
「地域共生社会」による
自治体"変質"問題

介護と障害の現場からの
警告・告発、そして地域運動の
課題を探る

出席者

小島 美里 （暮らしネット・えん代表）

小野　浩 （きょうされん・政策調査委員長）

二見 清一 （足立区障がい福祉課・
自治労連社会福祉部会 事務局長）

司　　会 （月刊「東京」編集委員）

司会：本日は、「介護保険20年と地域共生社会」座談会にご参
加いただきまして、ありがとうございます。

　では、早速、「地域共生社会」・社会福祉法改正を共通テーマ
に、「介護保険20年」や「65歳の壁」などを含め、それぞれの
立場から、まず発言していただきたいと思います。二見さんか
ら、お願いします。

全世代型社会保障がそのまま進行されちゃうと
大変なことになる

二見：厚労省概算要求で突然、重層的支援体制整備事業が出てきて、「我が事・丸ごと」で出された高齢・障害・子育て・生活困窮などについて、ワンストップでの相談を地域の人たちに「我が事」として「丸ごと」担ってもらうというものですが、これをまず予算だけくっつけようというものです。既存の介護保険事業特別会計にある「地域包括支援センター」のお金と、一般会計で財政措置してきた「障害者相談支援事業」、子ども・子育ての「利用者支援事業」、生活困窮者への「自立相談支援事業」などのお金を包括的支援事業として一本化するもので、介護保険会計の一部を一般会計に取り込むことは、これまでなかったことです。

　いよいよ政府も本腰を入れてやってきたとの印象で、あとから地方自治体はついてこいというところなのか…。でも、肝心の私たちにはそうしたことが伝わってきません。

　今、障害福祉計画をつくっているところですが、社会保障審議会の部会もリモート会議なので、資料だけは送られてきますが、なかなか読みこめていません。2021年4月に向け、報酬改定の議論も進んでいます。目玉にすると思われた就労中の重度障害訪問介護の利用を認めることも検討されているそぶりがありません。

　狙われている全世代型社会保障への転換が、そのままスルッといってしまうと大変なことになると思いつつも、全世代型社会保障それ自体には、障害のことは一つも書いてありません。年金、介護、医療が改悪されるので当然放ってはおけませんが、面と向かって障害のことが何も書いてないので、障害福祉をどう持っていこうとしているのかがわからりません。

　日本の社会保障は自助優先だから、障害福祉もそうなのかというとそうは云わない。では、障害は社会保障から外れるのかというとそうでもない。とても、いま気になっています。

　今回社会福祉法一部改正では、地域福祉計画が、障害や介護、子育ての計画の上位計画のように読み取れますが、今でも、足立では「地域保健福

祉計画」が上位計画といわれています。では、統一した方針があってそれぞれの個別計画が意識して作成されているかというと、そうはなっていません。今回の社会福祉法改正で、「地域福祉計画」が上位計画に位置付けられても、実際は個別に策定され、統合したひとつの計画として作るのは難しいのではないかと思います。

　　　　司会：確かに、今まで地域保健福祉計画がない自治体もあるので、そこが必置になるのか、どうかももわからないということですね。それでは、小野さん、お願いします。

地域では福祉を担うべき体制が崩れている

小野：私は障害福祉の現場から、この問題をずっと見てきました。その立場から発言します。

　まず、「我が事・丸ごと」共生社会が出てきたときに、最初に問題視したのが、「共生型」サービスでした。富山型モデル（デイ・サービス）で、介護と障害を部分的にドッキングさせる形ではじまりました。あのときから、報酬がどういう出方をするのか、どういう統合を考えていくのかを見てきました。

　2020年3月に公表された、厚労省の「共生型サービスの実態把握及び普及啓発に関する調査報告書」を見ても、共生型サービスはほとんどひろがっていませんでした。でも、自治体レベルもあまり乗り気になっていなくて、事業者側も説明は聞いたが、事業に乗り出す動きは、きわめて少ない実態でした。この状況は、厚労省の期待を裏切る結果だったのでしょう。厚労省は、「普及・啓発」ばかりを繰り返しています。

　2020年6月の社会福祉法「改正」により、重層的支援体制を整備する検討会資料が出てきて、2021年度予算の概算要求概要がだされましたが、その内容は二見さんが説明したように、相談支援と地域生活支援事業の部門を包括化するというものです。町田市の法人・事業所の実態からみたときに、「そんなこと可能なのかな」と思ってしまいます。また地域の障害分野から町田市の介護保険分野をみたときに、どのくらいの「要支援」の

人が介護サービスを切られて、総合支援事業に移行したのか、その利用実態や実情はほとんど見えません。介護保険分野からも同じことがいえると思います。そんな状況で、相談支援と地域生活支援を包括化することなど難しいでしょう。

　さらに、相談支援の民間化に伴って、障害分野では、自治体のソーシャルワーカーが消えてなったように感じています。町田市には公的機関の責任を果たさせるために、「基幹相談支援センター」は市役所の事業としています。しかし、地域には、「障害者計画相談支援事業所」がたくさん増えましたが、既存の支援やサービスにつなげるだけの単なるパッチワークになってしまい、ニーズを実現するために新たな資源開発に取り組んだり、制度に欠陥があればその改善・改革のアクションを起こすなどの、本来あるべきソーシャルワークになっていません。

　確かに厚労省のいうように問題は複合化しています。発達上のつまずきのあるお母さんが、あるいは　アルコール依存症のお父さんが、障害のある子を抱えて、もはや生活が成り立たない。そこに、ＤＶがあったりする。我々が支援に入っても、出くわすのはそういう問題は、少なくありません。

　そんな問題を抱えた暮らしを「重層的支援」体制で、改善できるのか疑問です。障害福祉には、かつかつの自治体予算。その枠で持つのか？また、児童相談所の圏域と障害福祉の圏域は違いますが、児相のワーカーはくたびれきっています。そこに連携体制を構築するのであれば、もっと分厚い支援体制が必要です。児相・障害福祉のそれぞれに、よく制度と地域実態を熟知した職員を増やすことです。

　今の地域の実態は、保健師も、障害福祉も全く違う動き方をしています。介護保険については、地域に丸投げです。

　そこがいっしょにやろうといってもイメージが湧きません。現状では、地域の福祉を担うべき役所の体制が崩れているんです。そんな現状を放置したまま、「重層的支援体制」を持ち込んでも機能するとは思えません。

　　　　　司会：小野さんには、「65歳の壁」といわれる問題とその裁判もお話しいただけますか。

50

小野：まず、浅田訴訟についてですが、岡山市に暮らしている重度障害で全介助の浅田さんが65歳の誕生日直前に要介護認定を拒否したら障害福祉の訪問支援をすべて打ち切られ、訴訟を起こし勝訴した裁判です。

　障害者総合支援法には、第7条に「介護保険優先原則」というのがあり、65歳になったら介護保険を優先するという条文ですが、その運用については、厚労省が本人の生活実態を考慮して、障害福祉と介護保険の併給等の柔軟な運用をするようにという通知が出されています。しかし実態は、自治体によって対応がさまざまで、地方に行けばいくほど、65歳になった障害のある人たちは機械的に障害福祉を打ち切られ、介護保険に強制的に移行させられ、支援の量が減り応益負担が生じてしまう人が多いのです。

　そうした現状の中で、岡山地裁と広島高裁で、「総合支援法第7条にもとづいて障害福祉を打ち切った岡山市は行政裁量を濫用した」と判決し、浅田さんは勝訴しました。これは画期的な判決でした。

　同様に、千葉市での天海（あまがい）裁判が進行中です。今、千葉地裁の裁判長が、被告の千葉市に対して、「65歳になった天海さんに、相談もしないで障害福祉を打ち切ったことの法的根拠を提出せよ」と求めています。12月15日に結審を迎えますが、行方が注目されています。裁判長が千葉市に課した「65歳になったら、障害福祉を打ち切っていい」などという法的根拠は、どこにもありませんから、天海訴訟の判決もきわめて重要な意味をもっています。

　　　　司会：小島さんには、「介護保険20年」を振り返っての諸問題について、お話をお願いします。朝日新聞では、「赤点」をつけられていました。

「訪問介護を守れ」―まずは、ヘルパーを何とかせよ

小島：「介護保険20年」経ちましたが、私自身の2000年の時のスタンスは、制度発足は「いたしたかない」でした。高齢者が増加するので、公費だけでは介護サービスは難しいので。

　介護保険が発足の時、私たちは新座市の委託業者でした。措置から介護

保険に移行にあたって、介護報酬は不十分。ヘルパー給与を２万円ほど下げざるを得なかったわけです。「介護保険20年」の話をするときは、まずそこから始めています。

　それでも、基本報酬は最初が一番高かった。コードも覚えられるくらいシンプルだった。その後、基本報酬は上げずに加算で何とかしろという方式になり、加算がこの人にはつくが、この人にはつかない、まったく滅茶苦茶です。そんな介護事業現場を抱えています。

　共生型サービスの話も乱暴です。障害者の介助ボランティアから始めた私が反対というと、「反対ですか？」といわれる。それは違います。私のところは認知症対応サービスが多いのですが、認知症ケアと精神疾患や自閉症ケアの専門性、対応するケアの技術が違うからです。

　富山型モデルなどの成功例とは条件が違う。経験を積んだ看護師３名が始めたものをモデルにしても、似て非なるものになる。認知症ケア一つ習熟するには時間が必要なのに、離職率が高い今そんな乱暴なとしか言えません。

　介護保険の20年の後退の積み重なりのために、惨憺たる有り様で、訪問介護は数年後消えるといっても大げさではありません。一昨年の有効求人倍率13倍が、昨年は15倍。平均年齢は50代半ばを越えています。

　しかも訪問介護は「住宅型有料老人ホーム」と「サ高住」が使う報酬が３割、一般の人は「施設」と考えているところで、在宅と同じシステムで訪問ヘルパーがサービス提供している。これらの入居者は在宅者にカウントされているのですが、10数パーセントにあたりますが、本来の在宅介護の人の２倍利用していることになります。

　訪問介護が消え、ヘルパーがいなくなったら、在宅介護とか、地域包括ケアとか、「我が事・丸ごと」とかなんてできるのと、厚労省には言っています。

　もう一つ、コロナ禍で一番休業したのが、「総合事業」です。利用する方々は感染が怖くて休む、事業者も資格要件もなく、感染症対策は弱いのです。休んで当然です。コロナ以前に、総合事業は対応する専門ヘルパーは通常のヘルパー以上に少ない。要支援だとヘルパー使えないということ

になっていないか心配ですが、実態調査はされていません。そんな現状なのに、総合事業を要介護になっても継続など、どうして言えるのか理解できません。

　だったら、どうするのか？　例えば、ごみ出しができなくなっているならプロのヘルパーが仕訳を市、隣近所の方々が指定された日にごみ出しだけをする、といった共同作業をできる体制を作ることです。

　障がいのある人についても同じことで、特に重度対応は勤務の体系も違い、やる人がいません。

　地域の高齢化は急速に進み町内会などの加入率は減り、かつてボランティアの担い手だった専業主婦はいません。「誰でも食堂(子ども食堂)」を取り組んでいます。それを手伝ってくれる人も、フルタイムで仕事をしていて、今日一日だけはボランティアができる、という新しいライフスタイルの人です。共助の地域共生社会づくりは、現実とあまりにも乖離しています。

　ここ数年間私は、「訪問介護を守れ」と声を大にして言い続けています。地域で暮らし続けるためには必要不可欠な職種なのです。

「重層的支援体制」は、巧妙な官僚のネーミング

　司会：厚労省「介護保険についての基本指針」では、第8期介護保険事業計画に、「有料老人ホーム」と「サ高住」が、自治体内で点在している実態を表示するように書いています。2000年介護保険導入時には、在宅ケアの不足を「社会的ケア」で取り組むということもありました。

　2000年前には「日本在宅ケアネットワーク」を結成して、最高時、東洋大学には1000名の参加者で、在宅ケアをどうするかの1点でいろんな職種が集まった。

　しかし、小島さんが指摘されるように、在宅ケアの要と位置づけていたヘルパーが、不足している段階から、だれがヘルパーになるのか、道筋も見えなくなる。介護の養成校には、ベトナムなどの海外留学生が増えてきています。海外のヘルパーに依

存するだけでは、介護保険の未来はないですね。今回改定は、地域共生社会も問題だけど、民間施設ケアにシフトを強めるという問題もあるのではないでしょうか。

小島：それには誤解があります。介護保険において、「住み慣れた地域」とは、そのまま自分の家に居られるわけではないのです。近くの「サ高住」「有料老人ホーム」などの施設に入って暮らし続けることも織り込んでいるとはっきり言っています。

二見：ヘルパーがどこの事業所でも足りない、訪問介護という業態がどうなるのかという状況です。地域が高齢化、弱体化して、町会も対応できない。いま、民生委員なども欠員が増えています。

　個人的には、「公務公共で」と思っています。相談なども公務で担うべきです。若い人をどんどん自治体が採用していけばよいと考えます。

小野：2018年10月31日に開かれた厚労省の「障害福祉サービス報酬改定検討チーム」で、「平成29年度賃金構造基本統計調査」をもとに、厚労省の障害保健福祉部が作成した「一般労働者の産業別賃金水準」という資料を提出しました。この「産業別賃金水準」では、いつも障害福祉は「医療・介護・福祉」に含まれてしまうので、その実態は明らかになったことはありませんでした。しかし、このときに出された資料では、はじめて障害福祉分野の職員平均年収を抽出していました。それによると、2017年の産業別賃金（年収）のうち、全産業平均は年収約300万円弱で、最高は「電気・ガス・熱供給・水道」は年収約400万円でした。それに対して「医療・介護・福祉」は年収約280万円で、そこから抽出した障害福祉関係分野職員」は、年収約230万円の最低ランクでした。本当にそこを分厚くしないと、地域で生活を支える基盤はできないと思いました。

小島：障害からはじめると、視点が違くなるような気がします。うちの事業所のヘルパーは、ほぼ障害と高齢の両方とも経験しているので、かなり鍛えられています。

小野：ところで、この重層的支援体制は来年度実施ですか？

二見：地域の実施体制としてはとても無理です。予算だけが包括化されて、各々のメニューがあって（東京都の包括補助のようなもの）ということにな

るのではないでしょうか。

小野：地域包括は介護保険事業特別会計で、障害、児童、生活困窮などは公費、一般会計ではないのですか？

二見：それが、介護保険特別会計から一般会計に繰り出しができるようになるのです。これまで、一般会計から特別会計に繰り出すのはよくやっていたのですが。

小野：この情報は市町村までいっているのですか？多分障害福祉課などは見てないのでは。

二見：厚生労働省の概算要求の中にはなく、地域共生社会関連資料として政策・財政サイドから転送されてきて気がついたのです。内閣府でしょうか？

司会：内閣府なら、子ども子育て支援が所管だから、よくわかります。

小野：例えば、子どもの利用者支援事業とは何ですか？どこまで、有効な事業なのですか？

二見：すみません、実際、どこで何をやっているのか、わかりません。

小野：統合補助金、包括補助金というのは、きわめて不透明ですよね。

小島：国は「子どもの虐待対策」を「子ども食堂」にという動きがある。「子ども食堂」をやっている人たちは多くが専門性がありません。そこに相当なお金がついている。ちゃんとやってくれる体制があればよいのですが、兎に角やるというのは乱暴です。

二見：子ども子育て支援法ができてからですね。お金の流れがわからなくなってきています。

小島：今回の介護保険改正では問題になった点の多くは先送りにされました。そのうち要介護２までの通所・訪問サービスを総合事業にする案はなくなった分、先に出てきた「希望があれば」総合事業を継続することができるような改定を報酬改定で行おうとしています。こちらは国会を通す必要はない、省令改正ですから、一般の人にはわかりにくい。

小野：障害福祉も介護保険も、３年に一度の報酬改定の度に、さまざまな改悪・抑制を強いられてきました。現在、2021年度改定にむけての検討

がすすめられていますが、それと同時に財務省も「予算執行調査」を実施して、障害福祉と介護保険の改悪と抑制を強調しています。とくに10月に公表された財務省の「予算執行調査」と財政制度分科会の資料では、ケアマネジメントの有料化と、障害福祉のさらなる公費抑制が示されました。この財務省の財政方針は、報酬改定とともに次年度の予算編成に大きく影響を及ぼしてしまいますから、何とか巻き返さないといけないと思っています。

　さらに、次の大きな改定は、医療の診療報酬、介護報酬、障害福祉の報酬改定の３つが同じになる2024年です。政府はどんなことをしてくるのでしょうか？

　　　司会：６月の社会福祉法改正の持つ意味は、戦略的法改正だった可能性があるのではありませんか？

小野：戦略的ではあるかもしれませんが、今回出てきたのは相談業務の統合のみです。これが入口改革になるのかどうか？

　　　司会：「我が事、丸ごと」の延長線ですか？　それに、「我が事、丸ごと」にない生活困窮が入って、事例としては足立の自殺対策が評価されていますが。

二見：足立自殺対策は地域でやっているものではありません。生活困窮は区役所内の「暮らしとしごとの相談センター」で、相談業務をやっています。手上げでなく、たまたまやっているものを取り上げられたのではないでしょうか。

小島：地域包括支援センターも委託先の法人が変わっています。長い間社会福祉法人をやっていた人がいなくなり、２代目、３代目は投げてしまっているのです。とんでもない事態になっています。

二見：区役所では、地域包括システムさえ絵に描いた餅という意見が強いのに、その上に何を描き加えてもできるわけがないと思います。補助金の統合のみという認識です。

「地域共生社会」の危険性をどう世論化するのか？

　　　　　司会：最後にお話しいただきたいのは、この問題をどう社会運
　　　　動化していくのか？　憲法では「9条を守れ」で結集できまし
　　　　たが、福祉分野でどう世論化していくのかということです。

二見：「何をしたら？　誰といっしょに？」というのは悩ましい問題です。
国の方はひとつになっているのに、私たちの側の理解が進んでいません。
何が狙われているのかを、従来型の学習ではなく、若い人にも伝える。同
じ働く人や最前線で働く人々にアプローチをする必要があります。

小野：きょうされんで、コロナによる障害福祉への影響を調査しました。
また、全国介護事業者連盟が介護保険事業所への影響調査を実施しました。
それを比較してみたのですが、いずれもショートステイの利用自粛による
減収は多かったのです。けれども、障害分野では通所事業所の利用自粛は
あっても経営への影響は、それほど多くないのに対して、介護保険ではデ
イサービスの減収がもっとも多かったのです。

　その要因は明らかです。障害福祉では、自立支援法違憲訴訟団と国が「基
本合意」を2010年に交わして、それ以来、障害福祉の応益負担の上限は
無料とされています。その結果、障害福祉の通所事業所の利用を自粛して
も、自宅待機者への訪問や連絡などの代替サービスで、給付費請求をして
も、本人には応益負担は課せられません。

　それに対して介護保険のデイサービスも同じように、利用自粛に伴う
代替サービスはありますが、代替サービスの電話連絡だけで介護給付を請
求してしまうと、利用者には1割〜3割の応益負担が課せられてしまいま
すから、利用者は代替サービス利用を拒んで自粛した結果、デイサービス
は介護給付費請求ができないため、減収になってしまったんです。障害分
野では、放課後等デイサービスで代替サービスを活用すると、利用児童の
保護者に応益負担が課せられてしまうので、それを国が補うという通知ま
で出されました。コロナのもとで、この応益負担の欠陥・弊害が大きく浮
き彫りになったと思います。

　その意味でも、障害分野と介護保険の分野で、応益負担の撤廃を求める

ような共同の運動ができませんか。

二見：特別支援学校が臨時休校となった３月以降の放課後等デイサービスの利用者負担のかかりまし分は全額国庫補助です。４月からは国が２分の１、都４分の１、区４分の１の負担になっています。

　　　　　司会：コロナショックの影響をうけて、通所サービスは減少しました。予定していた通所の数が減ったことへ、厚労省は20％割り増しで請求してもよいとしました。そうなると利用者は、100から120へと20％負担が増えてしまいました。
　　　　　それに対して長野県飯田市では、「利用者負担の軽減を」という要望運動がおきました。
　　　　　飯田市はそれに対応して、自己負担が増えた分へ補助をすることにしました。
　　　　　東京では、品川区が９月補正予算で自己負担の増えた分の補助をすることにしました。６月にさかのぼって補助すると聞いています。

小島：保険原則を踏みはずしています。そしてサービス利用の自己負担についても低所得者対策を本当に真剣にしてほしい。介護認定を持っていても２割の人は使わない。その調査もない。コロナ後にはもっと利用できない人が増えるのではないでしょうか。

　新座市も財政緊急事態宣言です。これまで経験したことのない社会に、私たちは介護保険や障がい者支援を通してどのように利用者本位の提供をしていけばいいのか。提供するべきケアは何なのか。みんなでケアの中味を考えて、不足部分は足りないと声をあげて、情報交流と連帯を広げていくことです。

　「共生型」は、そう簡単にはできない。高齢障がい（認知症など）をどう考えるか、相互に考える必要があるでしょう。今日も色々と参考になることを知りました。それぞれの取り組みを社会に自治体に「伝えていく」ことを強めていくことです。

　　　　　司会：本日は、どうも長時間ありがとうございました。
　　　　　　　　（座談会は2020年10月27日、大塚のラパスビルで行われた。）

4 やろうと思えば ここまでできる 先進自治体から学ぶ

▨ 武蔵野市から学ぶこと

　武蔵野市は、高齢者行政として先進自治体です。このブックレットでも副市長のインタビューを掲載したのは、学ぶことが沢山あるからです。第8期介護保険の取組について、先駆性を学ぶ点として、3つを強調しておきます。

　第1は、「高齢者福祉総合条例による総合的な施策体系」（38p）に見られるように、「住宅・雇用・生涯学習・交通を含む体系」として、構築されていることです。これに災害対策と感染症対策が加わることになります。

　第2は、介護保険がカバーする領域は、一部分であるということです。老人福祉法を活用すると介護保険のカバー領域は、限定的という認識をどの自治体も持つべきことです。

　第3は、「補助器具センター」の設置です。2019年から名称が変更されて「住宅改修・福祉用具相談支援センター」になりました。

　「補助器具」という日本語に意味があります。福祉用具ではなく、補助器具とするのは、デンマークの在宅ケアの影響を受けていたからです。

　1990年代「補助器具センター」は、東京には2つ。一つは武蔵野市、もう一つは特定医療法人健和会の「補助器具センター」です。相互に担当者の交流があり、ベッドや車いすの「試し貸し」、リフトの活用等々、多くの実績を上げてきました。武蔵野市はセラピスト主体、健和会は看護師主体、という異業種交流にもなっていました。

　名称が変わったことは、残念な気分（健和会医療福祉調査室長としては）にもなりますが、福祉国家の在宅ケアの思想の発展と捉えて、武蔵野市の取り組みを応援したいと思います。

市民参加の自治体介護改革運動を広げよう、工夫しよう

定着している市民参加は、介護保険事業計画(案)へのパブリック・コメントです。気がついたことを率直に書き、多くの声を担当者にだすようにする取り組みは、とても大切です。

この時に、点検したいことがあります。パブコメの期間です。短い設定になっていないかどうか。国の行政手続法は、行政学者達も含めて、長年かかって成立した法律です。透明・公正という用語が、始めて法律で謳われました。そのために、パブコメの期間は、最低30日となっています。30日を欠ける場合には、その事情を説明することになっています。

ところが、自治体のパブコメでは、30日ルールが未確立のことがあります。小池都政もそうでした。都立病院の地方独立行政法人化反対のためにパブコメ(2018年)を取り組んだ時には、2週間程度でした。法律違反であると強く都民運動として指摘をしたこともあり、今では東京都のパブコメの期間は、30日ルールです。

川崎市・調布市などは、パブコメの条例を作って、市民参加を保障しています。自治体がパブコメ条例にする意義は、議会で議論をして決定する過程があることです。そのことでパブコメの基本ルールが確立します。

請願は、日本国憲法第16条で保障されている国民の権利
行政へ積極的にアタックしよう

議会への陳情・請願活動は、市民運動では、当たり前の取り組みになっています。

狭く捉えられていることは、「請願」です。議会請願となっていることが普通です。が、本来の請願は違います。

「日本国憲法　第16条(請願権)
　　何人も、損害の救済、公務員の罷免、法律、命令又は規則の制定、
　　廃止又は改正その他の事項に関し、平穏に請願する権利を有し、何
　　人も、かかる請願をしたためにいかなる差別待遇も受けない」

　憲法の請願権は、議会請願の狭い規定はなく、行政（法律等）への直接参加形態の一つという理解が、国民の行政参加としては大切です。この請願権の理解にたつと、介護保険事業計画の改革は、介護保険課長・高齢福祉課長へ、直接行動を憲法が認めている、と理解しても妥当性があるわけです。もちろん、首長へ「暴力なし平穏」に保険料値下げせよ、と説得することもOK！です。

自治体の独自の工夫

　低所得者へ減免をして保険料軽減する取り組み、利用者負担を減らす取り組みは、介護保険内の自治体独自の政策として、制度化されることは知られていました。介護保険料未納者への「財産の差押え」（全国2万人）の実態は驚くべきことでした。

　今回、その「壁」を破り一歩進めることができました。厚労省「介護保険事務調査」の東京都市区町村の資料を入手して、「東京都23区26市」の分析結果を「62p・63p」に掲載しました。

（A）　ペナルティ（介護保険料未納者への「滞納処分、差押え」）

　　　　東京は、半数の区市が滞納処分を実施。また"差押えが多い町田市・87人、西東京市・83人等、23区26市の財産差押えの実態を明らかにすることができました。

（B）　自治体の改良・改善の工夫

　○　低所得者への独自減免……保険料を半額にすること等。

　○　利用者負担の独自軽減……府中市は、2719人と一番多かった。

（C）　介護報酬上乗せは、「自治体の独自の工夫」の一つです。全国では、16の自治体が取り組んでいます。国の報酬改定が不十分ですから、自治体が独自に報酬の上乗せをすることは当然の対応策です。残念ながら、23区・26市には、限度額上乗せをしている自治体は、ゼロでした。

「自治体が独自にできることは、すべて実行する」

介護ケアの自治体改革のスローガンにしたいことです。

表　東京都 区市における介護保険の実態分析（差押え・負担軽減・上乗せ）

	(A) ペナルティ		(B) 自治体の改良・改善の工夫			(C)実現可能政策
	滞納処分実施状況	差押え（数）	低所得者軽減 単独減免	利用者負担軽減 単独軽減	軽減人数	介護報酬 上乗サービス
千代田区	—	—	○	○	8	—
中　央　区	—	—	○	○	334	—
港　　　区	○	—	○	○	166	—
新　宿　区	○	1	—	—	—	—
文　京　区	○	—	○	—	—	—
台　東　区	○	44	○	○	18	—
墨　田　区	—	—	○	—	—	—
江　東　区	—	—	○	—	—	—
品　川　区	—	—	○	—	—	—
目　黒　区	○	1	○	○	324	—
大　田　区	○	2	○	○	159	—
世田谷区	○	1	○	○	274	—
渋　谷　区	—	—	○	○	103	—
中　野　区	—	—	○	—	—	—
杉　並　区	○	52	○	○	94	—
豊　島　区	○	63	○	—	—	—
北　　　区	—	—	—	○	176	—
荒　川　区	○	80	○	○	204	—
板　橋　区	○	11	○	—	—	—
練　馬　区	○	3	○	—	—	—
足　立　区	○	68	○	—	—	—
葛　飾　区	○	1	○	—	—	—
江戸川区	○	20	○	○	48	—

※「介護保険事務調査（令和元年度）」東京都分を情報公開で入手した資料で作成。
　全国、2万人の差押えの根拠は、「(A)」（差押え）。(B)は、自治体独自の軽減策の実態をあらわす。
※「介護保険事務調査」は、厚労省が各保険者に依頼。都道府県を経由、介護保険計画課計画係に
　集約。（保険者1571（回収率・100％）、全国1741市区町村）。厚労省の全国集計は、「介護保険最新
　情報Vol.875　令和2年9月25日」で公表されている。
※(C)限度額を超えて単独の「上乗せサービス」をおこなっている自治体は、全国で「16」実在して
　いる。

	(A) ペナルティ		(B) 自治体の改良・改善の工夫			(C) 実現可能政策
	滞納処分	差押え	低所得者軽減	利用者負担軽減		介護報酬
	実施状況	（数）	単独減免	単独軽減	軽減人数	上乗サービス
八 王 子 市	—	—	—		—	—
立　川　市	—	—	—	○	117	—
武 蔵 野 市	○	1	—	○	697	—
三　鷹　市	—	—	○	○	1116	—
青　梅　市	○	28	—	—	—	—
府　中　市	—	—	○	○	2719	—
昭　島　市	—	—	○	○	14	—
調　布　市	—	—	○	—	—	—
町　田　市	○	87	○	—	—	—
小 金 井 市	—	—	○	○	739	—
小　平　市	—	—	○	○	1179	—
日　野　市	—	—	○	○	26	—
東 村 山 市	—	—	○	○	なし	—
国 分 寺 市	—	—	○	—	—	—
国　立　市	○　—	61	○	—	—	—
福　生　市	—	—	—	—	—	—
狛　江　市	—	—	○	—	—	—
東 大 和 市	—	—	○	○	1	—
清　瀬　市	—	—	○	—	—	—
東 久 留 米 市	—	—	○	—	—	—
武 蔵 村 山 市	—	—	○	○	123	—
多　摩　市	—	—	○	—	—	—
稲　城　市	○	54	○	—	—	—
羽　村　市	○	50	○	○	3	—
あ き る 野 市	—	—	—	—	—	—
西 東 京 市	○	83	—	○	30	—

［編著者紹介］

安達智則（あだち・とものり）

「1 20歳になった介護保険、成人したでしょうか」執筆。

東京自治問題研究所主任研究員、都留文科大学講師、健和会医療福祉調査室室長。編著として、『図説・東京の論点─小池都政を徹底検証する』（旬報社、2020年）、『介護の質「2050年問題」への挑戦』（クリエイツかもがわ、2012年）、『都民とともに問う、都立病院の「民営化」〜狙われる地方独立行政法人化』（かもがわ出版、2019年）など。

一般社団法人東京自治問題研究所

1982年設立、月刊『東京』を発行。2019年1月号で400号を数える。東京の都市・地域問題を実証的に探究、社会・経済・環境・福祉・教育・医療・文化・歴史・行財政など、関係するあらゆる分野において調査・研究・学習をすすめ、調査報告書や書籍の発行、講演会・シンポジウム・学習会などを精力的に行っている。

E-mail：tokyo-jichiken@clock.ocn.ne.jp

https://tokyo-jichimonken.fc2.net/

https://www.facebook.com/102202944605478

https://twitter.com/tokyojichikn

第8期介護保険を手術する

2021年2月20日　発行

編　著　　安達智則・「月刊東京」編集委員会

発　行　　一般社団法人 東京自治問題研究所

　　　　　〒170-0005 東京都豊島区南大塚2-33-10
　　　　　電話 03-5976-2571　FAX 03-5976-2573
　　　　　Mail tokyo-jichiken@clock.ocn.ne.jp

ISBN　978-4-902483-16-1